콜맨 가솔린 랜턴 수리 & 정비 지침서

발　행 | 2024년 07월 25일
저　자 | 이준혁
펴낸이 | 한건희
펴낸곳 | 주식회사 부크크
출판사등록 | 2014.07.15.(제2014-16호)
주　소 | 서울특별시 금천구 가산디지털1로 119 SK트윈타워 A동 305호
전　화 | 1670-8316
이메일 | info@bookk.co.kr

ISBN | 979-11-410-9730-1

www.bookk.co.kr
© 이준혁 2024

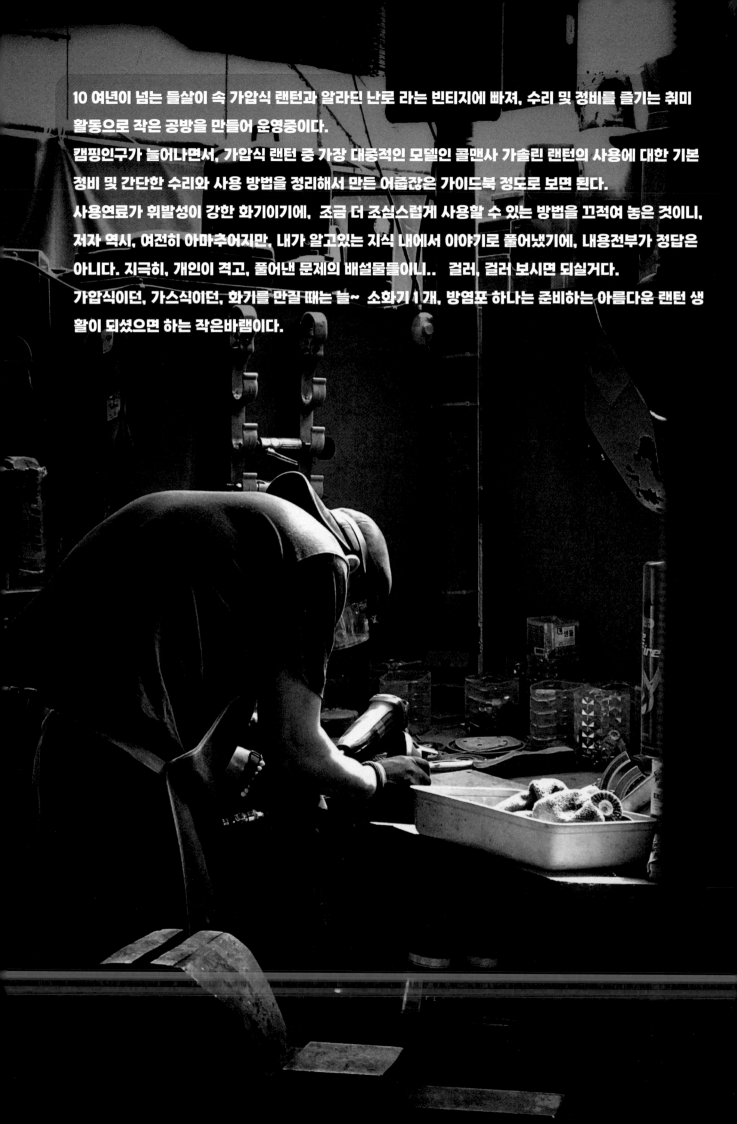

10 여년이 넘는 들살이 속 가압식 랜턴과 알라딘 난로 라는 빈티지에 빠져, 수리 및 정비를 즐기는 취미 활동으로 작은 공방을 만들어 운영중이다.

캠핑인구가 늘어나면서, 가압식 랜턴 중 가장 대중적인 모델인 콜맨사 가솔린 랜턴의 사용에 대한 기본 정비 및 간단한 수리와 사용 방법을 정리해서 만든 어줍잖은 가이드북 정도로 보면 된다.

사용연료가 휘발성이 강한 화기이기에, 조금 더 조심스럽게 사용할 수 있는 방법을 끄적여 놓은 것이니, 저자 역시, 여전히 아마추어지만, 내가 알고있는 지식 내에서 이야기로 풀어냈기에, 내용전부가 정답은 아니다. 지극히, 개인이 겪고, 풀어낸 문제의 배설물들이니.. 걸러, 걸러 보시면 되실거다.

가압식이던, 가스식이던, 화기를 만질 때는 늘~ 소화기 1개, 방염포 하나는 준비하는 아름다운 랜턴 생활이 되셨으면 하는 작은바램이다.

이 준 혁.　　　TEL : 010 - 3492 -0661

1975년 출생. 서울과학기술대학교 (구)서울산업대학교 공업디자인학과 졸업.

서울산업대학교 Universal Design 석사.

2024년 6월 02일 : 알라딘 난로 지침서 탈고.

2023년 5월 09일 : 페트로막스 & 베이퍼룩스 & 틸리 랜턴 지침서 탈고.

2022년 8월 27일 : 콜맨 가솔린 랜턴 지침서 탈고.

2013년 ~ 2024년 : Zac up Zhang / 작업장 - 취미공방운영

　　가압식 랜턴 / 빈티지 랜턴과 난로 / 알라딘 난로 전문수리로 현재까지.

2014년 ~ 2024년 : 영국제 알라딘난로 복원에 관심 현재까지.

2009년 ~ 2024년 : 가압식 랜턴에 빠져 현재까지.

2008년 ~ 2024년 : 캠핑시작으로 진행형.

2006년 ~ 2018년 : 서울과학기술대학교 (구)서울산업대학교 외 출강.

https://blog.naver.com/hb0661　　　https://www.instagram.com/junhyuck75

#《 목   차 》

콜맨 구형/신형 공용파트

콜맨 미군용 랜턴

주절주절,,

캠퍼들이 쉽게 접하는 콜맨 가솔린 랜턴들 중, 두종류만 제대로 알면, 거의 비슷한 구조이기에 지침서를 통해 보다 쉽게 접근할 수 있으며, 사용방법 및 이해도 면에서 도움이 될거다.

실예로, 노스스타 가솔린랜턴의 내측부 구조도는 시즌 랜턴이나 288랜턴들, 기타랜턴들과 동일한 구조다. 다만, 단순한 구분으로 80년대 이전과 이후 버전으로 나눠지는 정도로 이해하면 된다. 80년대 이전 버전은 콜맨 200A 랜턴을 참고하면 동일한 구조다.

특별한 점은 펌핑라인구조가 현재도 구형스타일을 고수하기에, 구형버전의 200A나 미군용 랜턴의 펌핑구조도를 지침서를 통해 확인해 보면, 단면도와 원리등의 상세한 설명을 볼 수 있다.

콜맨 노스스타 가솔린 랜턴

[콜맨] 노스스타 가솔린 랜턴

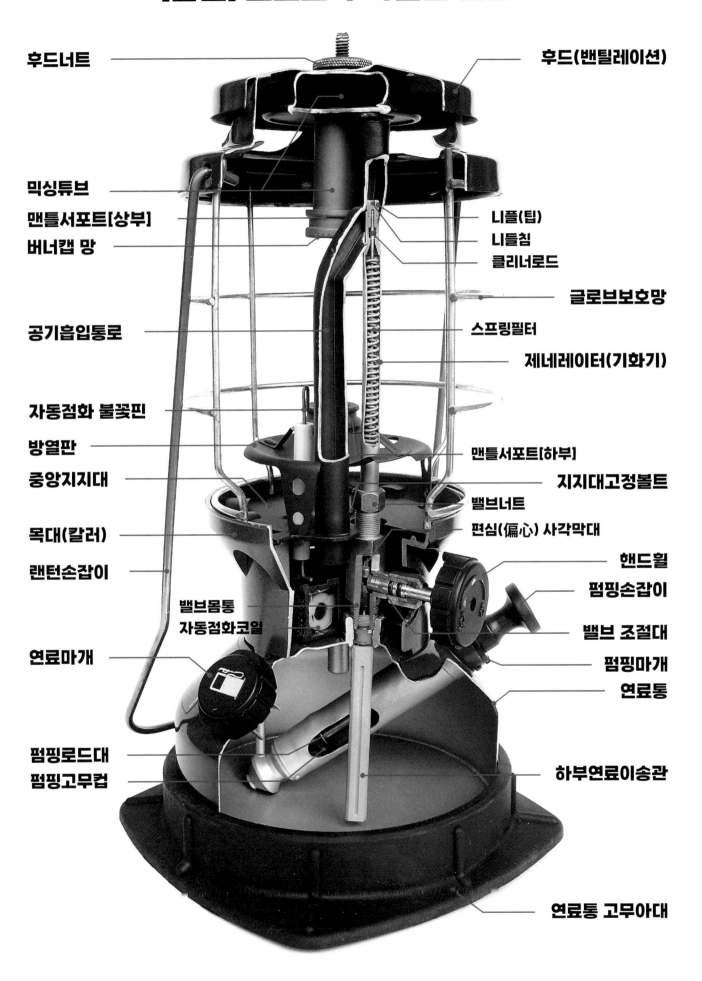

후드너트

후드(밴틸레이션)

믹싱튜브

맨틀서포트[상부]

버너캡 망

니플(팁)

니들침

클리너로드

글로브보호망

공기흡입통로

스프링필터

제네레이터(기화기)

자동점화 불꽃핀

방열판

중앙지지대

맨틀서포트[하부]

지지대고정볼트

밸브너트

편심(偏心) 사각막대

목대(칼러)

핸드휠

랜턴손잡이

펌핑손잡이

밸브몸통

자동점화코일

밸브 조절대

연료마개

펌핑마개

연료통

펌핑로드대

펌핑고무컵

하부연료이송관

연료통 고무아대

[콜맨] 노스스타 가솔린 랜턴 작동원리

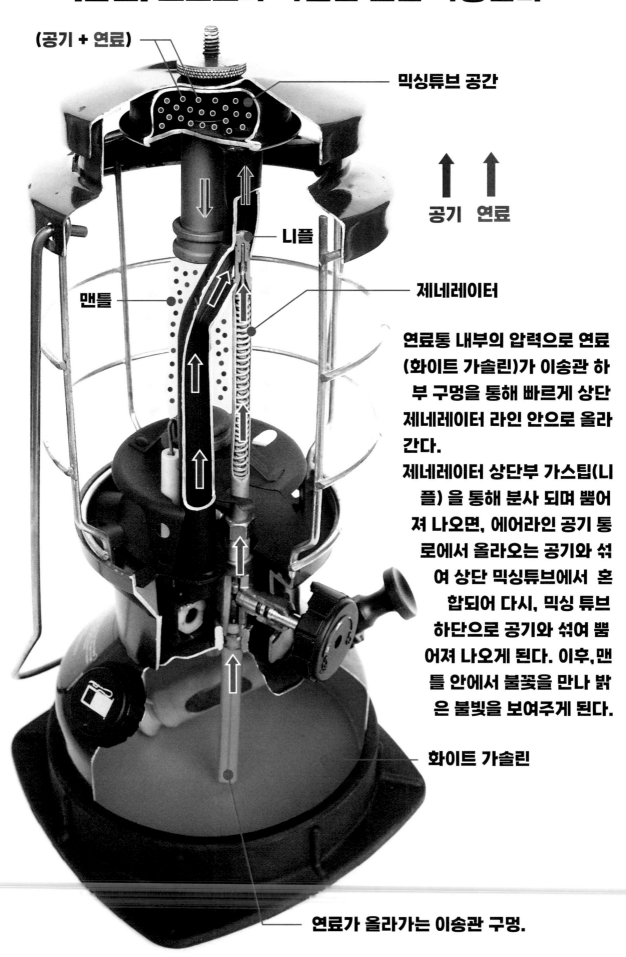

(공기 + 연료)

믹싱튜브 공간

↑ ↑
공기 연료

니플

제네레이터

맨틀

연료통 내부의 압력으로 연료 (화이트 가솔린)가 이송관 하부 구멍을 통해 빠르게 상단 제네레이터 라인 안으로 올라간다.
제네레이터 상단부 가스팁(니플) 을 통해 분사 되며 뿜어져 나오면, 에어라인 공기 통로에서 올라오는 공기와 섞여 상단 믹싱튜브에서 혼합되어 다시, 믹싱 튜브 하단으로 공기와 섞여 뿜어져 나오게 된다. 이후, 맨틀 안에서 불꽃을 만나 밝은 불빛을 보여주게 된다.

화이트 가솔린

연료가 올라가는 이송관 구멍.

Coleman

INSTA-CLIP-2
#95 MANTLES
MANCHONS N°95

맨틀[심지]달기

콜맨 맨틀 [심지] 를 준비 한다.

상단 맨틀써포트의 홈 위치를 확인,

[TIPS]

콜맨 맨틀 내측부에 끼워지는 와이어만 빼서, 맨틀 써포트 홈에 끼워지는 모습을 눈으로 확인할 수 있다.

맨틀 내측부 철심 (와이어)를 벌려 상단 써포트 홈에 끼운다.

하단 맨틀 써포트 라인 홈에 와이어를 끼워 넣는다.

하단 맨틀 써포
트 홈에 잘맞춰
넣는다.

맨틀 하단 고정
와이어가 자리
를 잘 잡았는지
한번 더 세밀히
확인 한다.

상/하단 맨틀을
잘 끼워 넣었는
지 다시 한번 더
확인 한다.

최종 맨틀 태우
기전, 흐트러진
맨틀 볼륨감을
잡아 준다.

맨틀 상단 고정
검정_플라스틱
을 제거 한다.

맨틀 하단 고정
검정_플라스틱
도 제거 한다.

가솔린 주입방법

내측 밀폐 뚜껑 고리가 찢어져 떨어질 수 있으니, 조심스럽게 당겨 준다.

전용 깔때기를 연료통 주입구 안쪽 끝까지 삽입 후, 넘쳐 흘러 내리지 않는 선까지 넣는다.

콜맨 전용깔때기와 화이트가솔린 900cc를 준비한다.

화이트 가솔린이 깔대기 하단 아래로 밀려 내려 가면, 반복적으로 가솔린를 넣어 준다.

화이트 가솔린 상단부 밀폐뚜껑을 조심스럽게 딴다.

연료 주입량 체크 방법은 다음 페이지에 상세히 나와 있다.

연료 주입을 끝
냈다면, 연료통
뚜껑 주위를 한
번더 확인후 연
료필러 캡을 닫
아 준다.

이제, 연료 주입량과 펌핑횟수에 대한 설명을 들어보자.
1번, 2번 두가지 방법 중 필자는 2번 사항을 추천 한다.
* (9 페이지 : 1항, 2항 이미지를 참고하시면 된다.)

[TIPS]

랜턴 연료통 : 940cc 용량.
밝기는 360cp (230w 상당)

1) 압력펌핑 :
약, 25 ~ 30회.
추가 펌핑 타임 :
약 1시간 이후.

2) 압력펌핑 :
약, 40 ~ 50회.
추가 핌핑 타임 :
약, 2시간 이후.

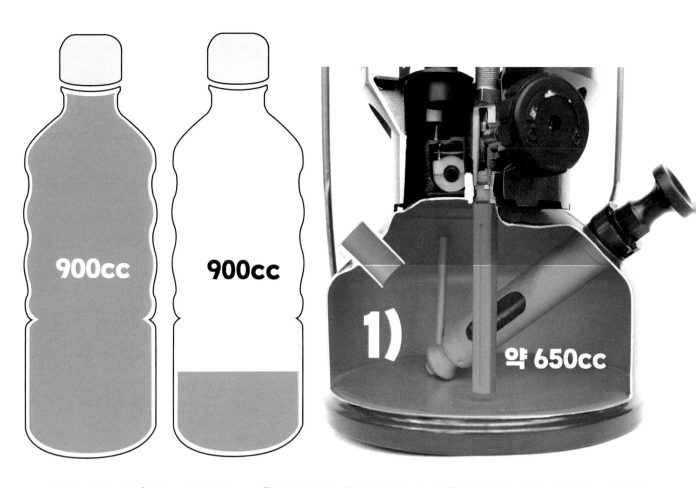

아래, 2번 사항인, 약 550cc 용량정도만 화이트 가솔린을 넣어야 하는 이유는 압력을 넣을 수 있는 충분한 공간 확보를 하기 위함이다. 약 550cc 정도를 넣을 수 있는 방법 은 다음장(10페이지)의 참고 이미지를 확인하면, 쉽게 넣는방법을 배울 수 있다.

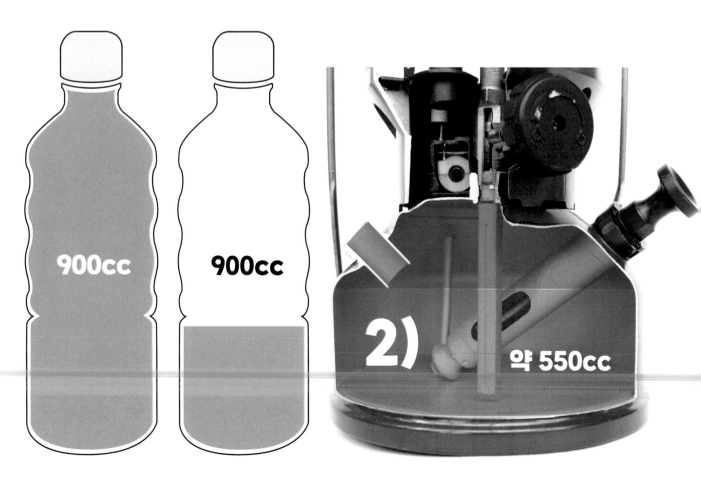

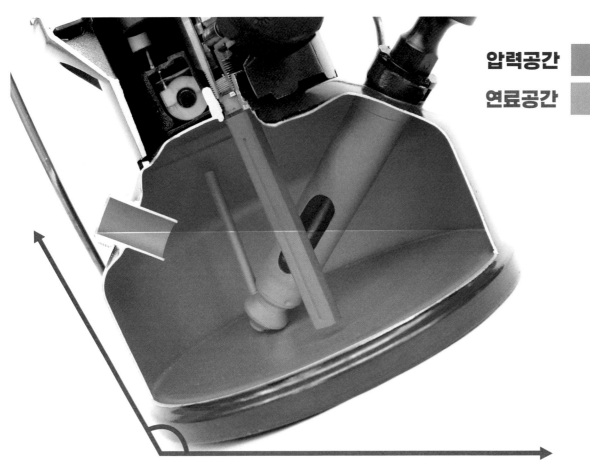

압력공간
연료공간

대략, 120도 기울었을때, 연료가 흘러나오는 정도.

약 550cc

기울여 연료가 흘러나오는 정도에서 바로 세워 놓으면, 대략
550cc 정도의 가솔린이 연료통에 채워진다.

※ 연료통의 연료주입구 형태가 내측으로 길게 이어져있는 구조다.

이렇게 설계를 한 이유는 과유
(연료 과다주입)를 막고, 압력
이 들어갈 수 있는 최소한의 공
간을 만들어준다.

랜턴을 세워놓고, 넣을 수 있는
한계라인이 바로, 파이프 라인
끝단까지만 연료가 채워 진다.

연료(화이트가솔린)

※ 연료통의 체적을 3"이라고 가상을 해보자, 주입연료량은 2"이상 넣으면 안된다. 이유는, 펌핑을 한후 연료가 지속적으로 뿜어줘야 하는 최소한의 압력이 필요하기 때문이다.

공기(압력)

앞장에서 설명했던 '120도'정도로 랜턴을 기울였을때, 연료가 주입구에서 넘쳐나올정도만 넣는다면, 최적의 연료량과 공기압력이 들어가는 비율이다.

연료주입(2) : 공기압력(1)

1 공기(압력)

2 연료(화이트가솔린)

압력공간
연료공간

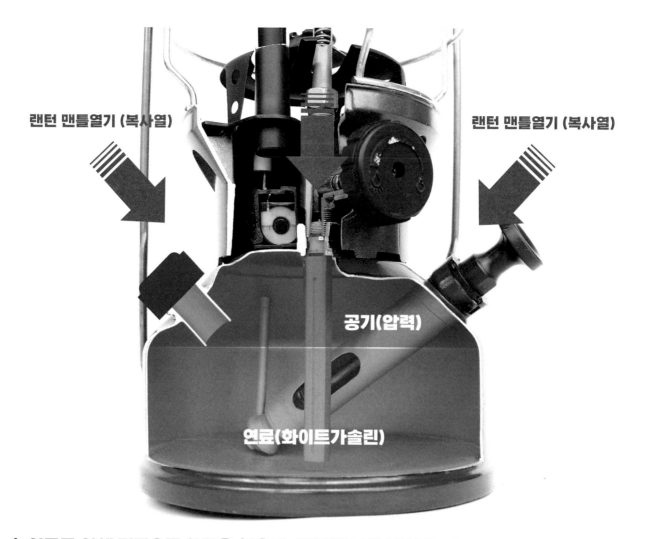

랜턴 맨틀열기 (복사열)　　　　　　　　　　　랜턴 맨틀열기 (복사열)

공기(압력)

연료(화이트가솔린)

※ 연료통 안에 펌핑으로 압력을 채우고, 랜턴에 불을 밝히면, 랜턴이 가동 되어지는 동
안 맨틀부에서 발생하는 열기로인해, 하단 연료통은 복사열로 어느정도 뜨거워진다.
뜨거워진 연료통안의 화이트가솔린이 증발현상(액체 -> 기체화)으로, 연료통 내부
에 자동압력을 생성하게된다. 이러한'자기기화현상'으로 가압식 랜턴들은 일정시간
동안 추가 펌핑압력 없이 계속 유지되면서 불을 밝혀주는 원리다.

※ 연료량의 소모속도가 빠르면,'자기기화현상'으로 발생한 압력량이 부족하여 불밝기
가 어두워지거 된다 이럴때는, 추가펌핑을 실시 해야 한다.

[TIPS]

콜맨랜턴에는 전용 연료
주입 깔때기를 사용해야
만 한다. 깔때기 안쪽에
거름솥이 있어, 불순물을
잘 걸러 내준다. 랜턴 하
단부 연료이송관 무깅이
미세하기 때문에 이물칠
이 들어가게되면 막힘 현
상이 발생한다.

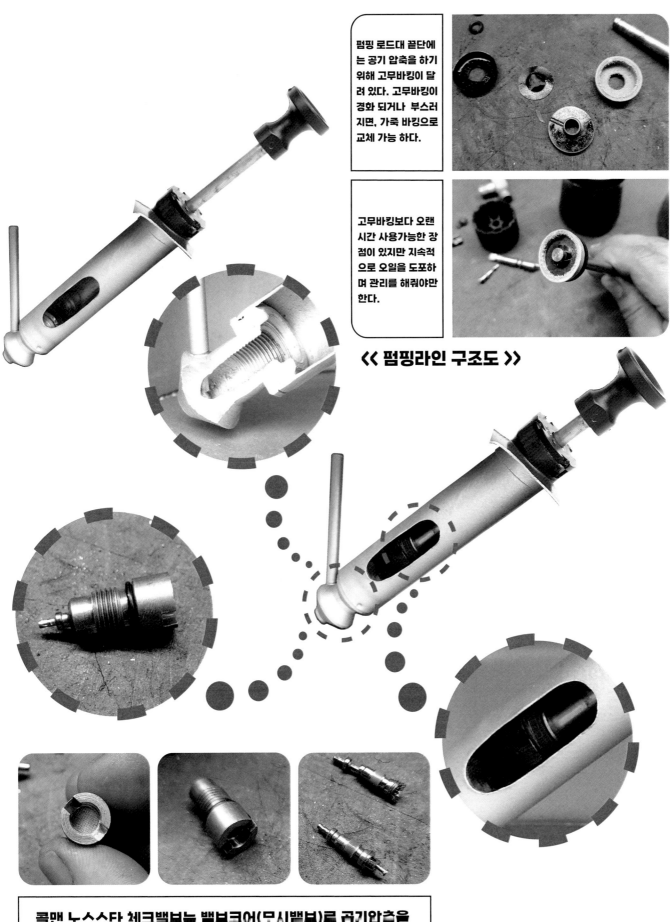

펌핑 로드대 끝단에
는 공기 압축을 하기
위해 고무바킹이 달
려 있다. 고무바킹이
경화 되거나 부스러
지면, 가죽 바킹으로
교체 가능 하다.

고무바킹보다 오랜
시간 사용가능한 장
점이 있지만 지속적
으로 오일을 도포하
며 관리를 해줘야만
한다.

《 펌핑라인 구조도 》

콜맨 누스스타 체크밸브는 밸브코어(무시밸브)로 공기압축을
차단시키는 역할을 한다. 구형방식의 이중구조가 아닌, 보다
단순하게 밸브코어만 삽입되어 간단한 구조로 이루어졌다.

콜맨 가솔린 랜턴의
연료통은 잔유 연료
를 완전히 배출시킬
수 없는 구조로만들
어져 있다. 과유를
방지하기위해 만들
어진 연료주입구 기
둥으로인해, 잔유가
배출되지않는구조다.

연료통을 바로 세우면, 압력을
견디게 설계된 볼록한 바닥 모습
을 볼 수 있다. 연료통 바닥중,정
중앙 위치가 가장 낮은 곳이며,
이 곳에 잔유연료가 모두
모이게 된다.

《 연료통 내부 구조도 》

연료 과다주입을 막기위해 만든 주입구 파이프 라인으로 인해 잔유연료를 완전히 제거시킬 수 없는 환경이 발생한다. 그로인해, 결로 발생시 물기가 빠져나갈 수 없는 상황이 도래 된다.

결로현상으로 발생한 물기는 연료통 바닥 볼록한 중앙으로 모이게 된다. 물의 비중이 기름의 비중보다 무겁기 때문에 물기는 더이상 증발하지 못하고, 기름 아래에 고여 연료통 바닥면을 부식시키며, 썩게 된다.

이러한 현상으로 연료통에 구멍이 생겨, 자칫 화재 및 폭발 사고를 유발시키 기도한다.

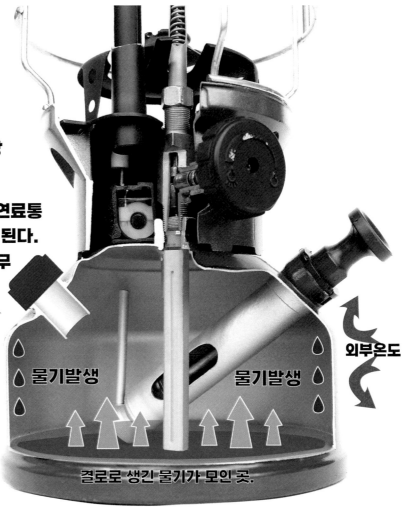

외부온도

외부온도

물기발생   물기발생

결로로 생긴 물기가 모인 곳.

밀폐된 공간 및 휘발성 연료로 인한 자가기화현상으로 내부온도 상승.

※ 결로현상
　외부와 내부의 온도차가 달라 공기중의 수중기가 연료통 안쪽 표면에 맺혀 흘러 내리는 현상. 겨울철 거실 유리창이나 냉장고에서 꺼낸 음료수의 물기가 생기는 원리.

<< 연료통 관리 방법 >>

[TIPS]

※ 약 20여일(한달)이하 랜턴을 보관 시, 최대한 결로현상이 덜 생기도록 연료를 가득 넣어두고 보관하는게 좋다.

※ 3달 이상 (1분기) 장기 보관시, 연료를 최대한 빼낼 수 있는데까지 빼낸 후, 잔유연료를 제거하기위해 연료마개를 열어 둔 상태로 통풍이 잘되는 곳에 일주일정도 놓아두면, 휘발성이 강한잔유연료는 모두 증발되어 날라가 버린다. 이후, 건조된 연료통 내부에 방청제를 도포 후, 밀폐된 공간이 아닌, 시늘하고 통풍이 밀되는 통간에 제습을 위해 신문지나 세습제와 함께 보관 가방에 넣어두면 된다. *(연료마개는 열어둔 상태로 따로 함께보관)

맨틀[심지] 태우기

맨틀에 불을 붙이고 난 후, 맨틀이 타면서 검게 그을린다.

맨틀의 그을음이 서서히 사라져 가는동안 기다린다.
군데,군데 검은 부분은 라이터로 한번 더 태워 준다.

맨틀을 묶고, 바로 태우는 작업 대신, 연료 주입과 압력을 미리 넣어둔 후 맨틀을 태워준다.

맨틀을 새하얗게 태우면, 더욱 더 밝은 불빛을 보여주기 때문이다.

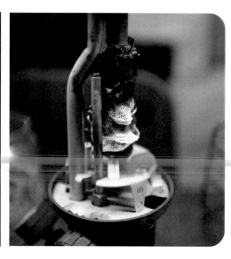

맨틀을 태우고 난후, 펌핑을 하게 되면 맨틀이 힘없이 흔들려 찢어질 수 있기 때문에 압력을 미리 넣어둔 후, 맨틀 태우기 작업을 진행하면 된다.

맨틀태우기 작업이 끝났다면 전장조립을 해준다.

미리 불을 켜놓고 빠르게 조립을 해노 무방하다. 다만, 화상에 주의 해야한다.

불 붙이기

노스스타 가솔린 랜턴을 점화 시, 자주 놀라는 현상이 다량의 가솔린이 쏟아져 나오면서 점화스파크에 불이 붙어, 펑! 하며 깜짝 놀란다. 그 이유는 가스토 출구는 상단에 있고, 점화스파크는 하단에 있기 때문에 글로브 내측에 겹

[TIPS]
압력 게이지 캡을 이용하면, 불을 붙일 시, 1 바 맨틀에 불이 안정적으로 붙으면 1.5 바 까지 압력을 추가로 넣어준다.

겹이 쌓여진 가스가 점화 스파크에 한번에 불이 붙어서 깜짝 놀라게 된다.

그러한 상황을 피하려면 먼저, 점화스파크 빨간 스위치를 연속적으로 누르며, 켜고 있어야 한다.

아래, QR 코드를 열람해 보면 맨틀에 불을 붙이는 영상을 확인할 수 있다.

그와 동시에, 핸드휠을 Off --> On 방향으로 빠르게 열어 주면 된다.
만약, 불이 바로 안붙었을 시, 잠시 환기를 시킨 후 윗사항을 동일하게 반복 실행해주면, 펑! 없이, 순간 불이 붙게 된다.
약간의 숙달이 필요 하다.

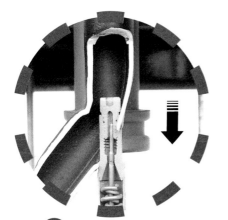 

열고 / 닫기 동작을 반복하면, 가스팁 (니플) 에 끼인 이물질을 청소침이 뚫어주는 역할로 가스팁(니플)구멍 청소작업이 동시에 이루어진다.

● 가스팁(니플) 구멍이 열린다.　　● 가스팁(니플) 구멍이 닫힌다.

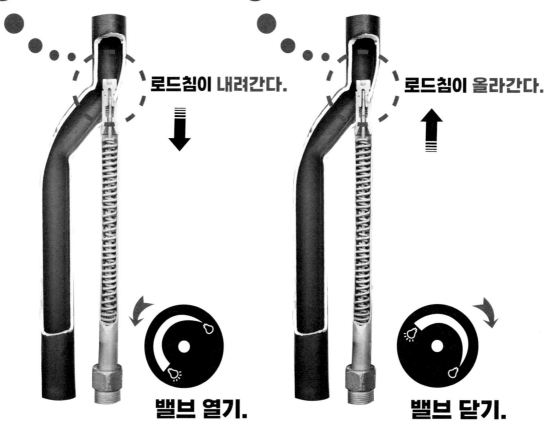

로드침이 내려간다.　　　　로드침이 올라간다.

밸브 열기.　　　　밸브 닫기.

<< 제네레이터 원리 >>

[TIPS]

※ 불을 켤때, 반복적으로 로드침을 돌려 움직여 주면서 점화를 시작한다. 이유는 제네레이터 내측부에 기존에 쌓여있던 카본 찌꺼기등이 점화 시기름과 함께 올라 오면서 막힐 수 있기에 뚫어 주면서 점화를 하면, 보다 안정적으로 점화가 이루어진다.

[제네레이터 오버홀]

※ 가압식 랜턴은 불이 밝다고 핸드휠을 돌려, 불을 줄여서 사용하면 안된다. 이유는 제네레이터 수명이 급격히 떨어진다. 불 밝기를 줄인다고 핸드휠을 돌리면, 청소 로드침이 상단 가스팁(니플)의 구멍근처에 올라가 있는 상태가 되어, 가스팁의 구멍을 확공시키는 상황을 만든다. 이로인해, 가스팁의 구멍이 넓어지면서 불이 안정적이지 못하고 불넘침 현상이 일어나며, 제네레이터 내측부에서 밀려 올라가지 못한 연료들이 타면서 카본 (그을음 찌꺼기)를 만들어서, 제네레이터 내측부 안에 축척되면서 쌓이게되는 현상이 일어난다.

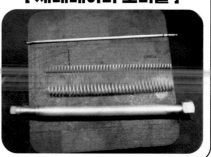

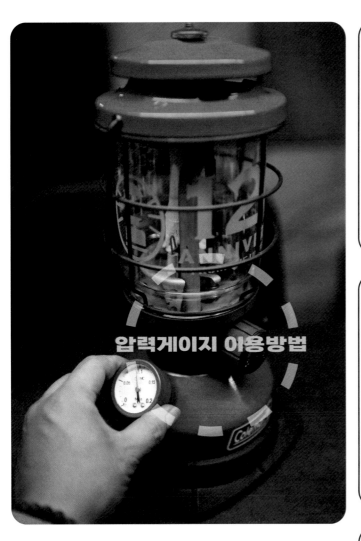

압력게이지 이용방법

연료통에 가솔린을 적당히 넣은후, 압력게이지가 달린 캡을 꽉! 잠근다.

불을 붙이기 전 압력을 미리 넣어 준다. 기준압력은 0.1 Mpa까지만 펌핑을 하고 불을 붙인다.

맨틀이 불을 머금고, 불이 안정화 되면, 추가펌핑을 하여 0.15 Mpa까지 압력을 올려 준다.

[TIPS]

앞장에서 연료량 비율에 맞춰 펌핑횟수를 예측했다면, 이번에는 오픈마켓용 튜닝파트인 압력게이지가 달린 연료캡 (필러)에 대해 알아보자. 압력게이지 사이즈는 대 / 소형 형태의 두가지 사항이 있다. *(노스스타랜턴 : 대형 / 시즌 랜턴 : 소형 추천) 여러회사 제품의 압력게이지 중, 그나마 오차범위 적고, 오랜시간 사용가능한 게이지로 추천은 S MC 사 제품을 권한다.

* 게이지 범위는 0 -> 0.2Mpa，0 -> 0.4Mpa를 사용하면 된다.

0.1Mpa = 1bar (1Mpa = 10bar) : **"0.1"** 메가파스칼은 **"1"** 바 를 나타낸다.

1바 압력을 넣고, 랜턴에 불을 붙인다. 불을 붙이기위해, 핸드휠을 오픈하면, 압력은 서서히 내려가면서 기체화 된 가솔린이 올라온다. 서서히 불을 붙이고 맨틀과 불이 안정화될쯤,압력게이지를 확인하면서 오른쪽 이미지 처럼, 약 0.7~0.8 바 정도로 바늘이내려와 있게 된다.

불을 켜기위해 핸드휠을 오픈 하게되면, 불이 안정화되기 전까지는 압력이 쉽게 빠져 나간다.
맨틀의 불이 안정화되는 시기에, 추가 펌핑을 해서 1.5바 까지 올려 준다. 적당량의 가솔린을 넣었다면, 약 1 ~ 2 시간 정도는 아주 밝게 압력을 유지하면서 가동 되어 진다.

2 시간여 달리는 랜턴을 관찰해보면, 대략 1바~0.8바 사이를 유지하며,내 달린다. 노스스타 랜턴의 평균이다. (랜턴에 따라, 차이는 다소 있다.)

이후, 추가 펌핑을 하게 되는데, 추가 펌핑 시에는 조금 더 압력을 올려준다. 이유는 2시간여 랜턴은 가솔린을 태우며 달리고 있었기에, 연료통 내부는 빈 공간이 생기게 된다. 그로인해 압력이 떨어지는 현상을 막기 위해 추가 펌핑 시 약, 1.8바 까지 펌핑을 실시 해준다. 그러면, 3 ~ 4시간 동안 더 밝게 랜턴은 달려 준다.

콜맨 가솔린랜턴들의 소화방식은 핸드휠을 잠그면 된다. 다만, 핸드휠을 잠그면 불이 꺼지는게 아닌, 서서히 불빛이 줄어들며 꺼진다. 그사이, 압력을 제거하기위해 연료캡을 열게되면 폭발 할 수 있다.

가솔린 및 등유랜턴을 사용시, 불빛이 너무 밝다고 불을 줄여 쓰게되면, 제네레이터 내측부에 카본이 급격히 쌓이게되어 제네레이터 수명을 단축시키는 결과를 초래한다.

소등을 위해 핸드휠을 돌려 불을 끄면, 그대로 완전히 불꽃이 꺼지는 시간이 대략, 10분사이다. 완전히 식혀지는데, 계절의영향이 있지만 대략, 20여분 쯤 걸린다.

그후, 압력을 제거해도 무방하다.

제네레이터의 수명과 제네레이터 상단 니플을 망가트린다. 가압식랜턴들은 불조절 이라는 단계는 없다고 보면 된다. 불을 켜고 끄는 작업과 가끔 슬러지가 가스팁 구멍에 걸렸을때 핸드휠을 돌려 청소침으로 뚫어주는 역할만을 해준다.

[TIPS]

맨틀[심지]을 이용하는 가스 / 가솔린랜턴이나 등유 랜턴들은 맨 처음 맨틀을 묶고, 맨틀을 태워주는 작업을 해야한다. 그후 압력을 넣고, 불을 조심스럽게 붙여 흐느적거리는 맨틀이 연료 분출과 불의 압력으로 동그랗게 모양을 갖춘다. 이후, 반복적으로 사용이 가능 하나, 이동 중에 흔들려 맨틀에 상처나 구멍이 생겼다면, 미련 없이 새 맨틀로 교체하는게 정답이다. 만약 구멍난 맨틀이 아까워 계속 사용하게되면 양쪽 참고 이미지 와 같이 랜턴 열기에 화상을 보호해주는 글로브 (유리)에 치명적인 생체기 자국이 생기게 된다. 내열 글로브는 뜨거운 열기로 인해, 팽창과 수축이 어느 정도 가능한 유리의 특성상, 새하얀 백태현상이 일어나며, 가동중 팽창계수가 틀어져 깨질수 있다. 맨틀은 소모품이다. 아까워말자!

목대[칼라] 옆구멍뚫기

콜맨 노스스타 가솔린 랜턴은 자동 점화스파크가 붙어있는 최초의 가압식 랜턴이다.

목대 (칼라)에 에어줄 톱으로 내측라인을 따낸 후 모습이다.

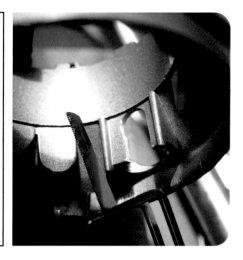

허나, 실사용중에는 다소 깜짝 놀라는 경험을 몇번하게 된다. 바로, 펑! 갑자기 노출된 많은 가스에 순간 스파크 불이 붙는 현상때문이다.

다음은 상단 프레임의 바닥 가장자리를 그라인더로 커팅 후, 초경날을 이용해서 라이터 머리가 들어갈 수 있도록 폭을 넓혀주는 작업을 진행한다.

그 현상을 피하고자, 노스스타 랜턴 목대 옆구리에 구멍을 뚫어 내는 방법을 찾아냈다.

에어 초경 날로 갈아낸 상단프레임 바닥 모습이다. 아직은 날카롭기 때문에 조금 더 줄질로 다듬어줘야 한다.

드릴로 구멍을 낸후 에어줄톱으로 내측라인을 따줘야하는데. 자칫,튈 수 있으니 항상 조심한다.

줄질로 다듬어진 에어 프레임 하단 가장자리 모습이다.이제, 쉽게 대롱라이터의 머리가 들어갈 수 있게 제작했다.

목대 (칼라) 구멍작업과 프레임하단 가장자리 갈아낸부품을맞춰 보는작업이다.

콜맨 노스스타 랜턴 하부 방열판 & 맨틀 써포트 부품의 모습이다.
원래부터 뚫려있는 오른쪽구멍을 볼 수있다.

줄질로 날카로운 모서리 부분들을 갈아내고 대롱 라이터가 들어가는 길라인에 맞춰본다.

정확하게 원래 뚫려 있는 구멍 라인하단에 라이터가 들어 갈 수 있는 공간을 만들어 준거다. 이제, 대롱라이터를 이용할 수 있는 구멍이 생겼다.

전체 라인을 맞춰 완성한 모습이다.

비싼 투버튼 맨틀이 아닌,원맨틀을 사용해도 불을 붙일 수있는 모습이다.

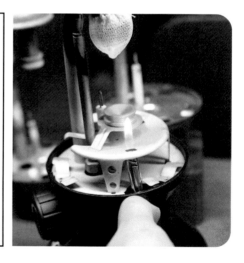

시험삼아 대롱라이터를 밀어 넣어 불을 켜본다.

내열 글로브와 보호망이 끼워져있는 상태에서 대롱라이터를 이용해서 맨틀에 불을 붙여본 모습이다.

제네레이터 청소

이번 작업과정은 제네레이터 오버홀 작업이다. 먼저 몽키스페너 두개를 이용해서 제네레이터 하단 고정 너트를 풀어 준다.

가장 큰스프링은 카본축척으로 제네레이터 내측부에 고착된 상태로 인해 토치 열기로 적당히 달궈준 후, 조심스럽게 빼낸다.

분리된 제네레이터.

카본에 찌들어 있는 제네레이터 내측부 스프링을 볼 수있다.

1차적으로 제네레이터 내측부 청소 로드침과 작은 스프링 및 니플 (가스팁) 빼낸다.

카본 부스러기를 털어 내고, 다음 단계로 넘어가기 전 모습.

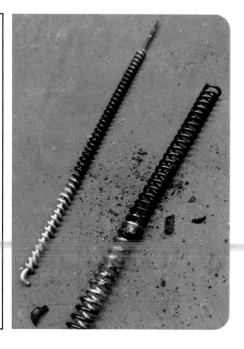

오버홀 작업에 들어 가기전 제네레이터 내측부 분해 모습.

청소 로드침 바늘 상태를 체크해둔다.

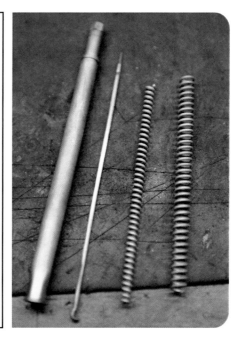

고온속에서 오랜 시간 사용되어졌기에 제네레이터는 휨이 발생하는게 당연하다. 전용 지그에 올려놓고, 세공망치를 이용해서 휨을잡아 준다.

만약 오버홀한 제네레이터 상태가 안좋다면 정품 새제네레이터를 준비해서 교체해주면 더욱 랜턴 컨디션은 좋아진다.

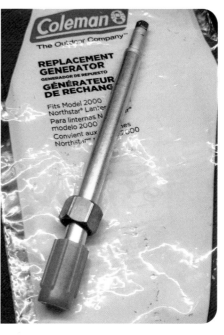

비드(유리가루) 샌딩과 전용약품으로 카본찌꺼기를 모두 털어낸다.

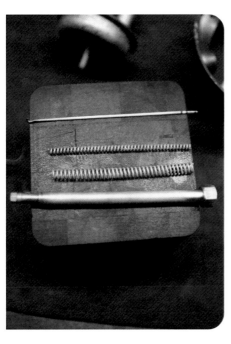

새 제네레이터 내측 부품들을 확인 한다.

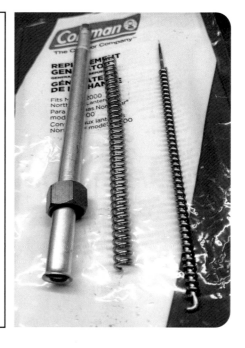

오보홀한 제네레이터를 하부 로드뭉치 상단 끝의 구멍에 청소 로드침 고리를 끼우고,

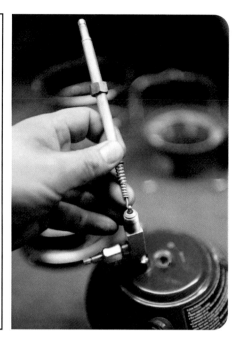

청소 로드침이 니플구멍을 관통해서 잘 올라오는지를 반드시 확인해야 한다.

고정 너트는 몽키 스페너를 이용해서 조심스럽게 돌려 고정시킨다.

가스팁(니플)구멍을 통과한 청소침을 한번 더 확인을 한다.

[TIPS]

제네레이터 오버홀과 새제품 교체 작업과정 중 반드시 확인해야 하는 과정체크!

제네레이터 교정 및 체결 시 청소로드침이 원활하게 상/하 움직이는지 항상 확인.

제네레이터 하단 황동너트 체결 토크 확인.

오버홀 후, 제네레이터 상단부 가스팁(니플)도 단단히 체결되었는지도 항상 확인

핸드휠 뒷편 누유현상

Coleman

콜맨 가솔린 랜턴에 자주보이는 현상이다.
대체적으로 5년 이상의 랜턴에게 나타나는 핸드휠 뒷고무 오링 경화로인한 압력을 넘고 작동시 가솔린이 세어 방울맺힘 현상이다.

핸드휠에 맺힌 가솔린 방울이 랜턴 작동중 계속 세어 나오면, 휘발성이 높기 때문에 불이 붙는 사고가 발생한다. 이러한경우 놀라지말고, 침착하게 핸드휠을 잠금으로 돌려 놓으면, 불은 잦아든다.

주된 원인은 고무 오링의 경화로 딱딱해져서 누유를 막지 못하는 현상이다.

핸드휠 뒷편,황동 심대 부품과 경화가 진행된 오링모습이다.
장시간방치 및 심대에 찌든 흔적들이 보인다.

고무재질의 특징은 NBR 계열과 VITON 계열의 고무다.
기밀유지 및 내경화성이 우수한고무는 VITON 계열이 월등히 우수하며 가격도 비싼 편이다.

내유성 VITON계열 고무 2개로 교체작업을 한다.

VITON고무는 FKM(불소고무)재질이며, - 25 ~ 250℃까지 견딘다.

콜맨 노스스타핸
드휠 뒷편의 황동
심대 오버홀 작업.

기밀성 및 누유차
단을 위한 2중구
조의 바이톤고무
오링을 끼워 넣은
모습.

콜맨 노스스타하
부 로드뭉치 전체
부품 모습을 보고
있다.

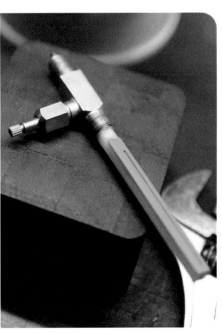

콜맨 노스스타하
부 로드뭉치를 오
버홀 후, 조립이
완성된 모습이다.

Viton (FKM) - 불소 고무

FKM (불소고무)은 널리 알려진 고성능의 고무로서, 내열성 및 내화학성이 뛰어난 고무다.
고온, 오존, 기후조건, 산소, 광유, 연료, 유압오일, 방향족 화합물, 각종 유기용제 및 화학
물질에 대한 내성이 우수하다.

- 일반 FKM (A Type) : -25 ~ 250℃

NBR - 니트릴 고무

NBR 또는 BUNA N 으로도 알려진 니트릴 고무는 석유 연료와 윤활유에 대한내성이 우수
하고 비교적 가격이 저렴하기 때문에 가장 널리 사용되는 실링용 고무 중 하나다.

- 표준 NBR : -40 ~ 100℃

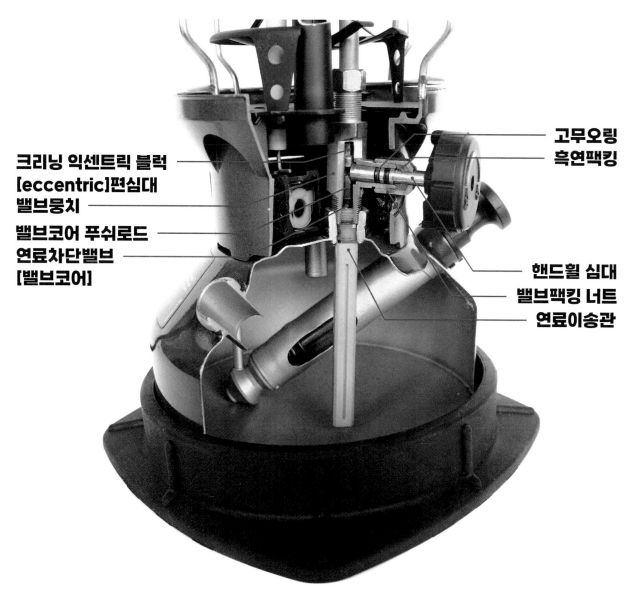

크리닝 익센트릭 블럭
[eccentric]편심대
밸브뭉치

밸브코어 푸쉬로드
연료차단밸브
[밸브코어]

고무오링
흑연팩킹

핸드휠 심대
밸브팩킹 너트
연료이송관

콜맨 노스스타 가솔린 랜턴의 핸드휠 뒷부분은 누유 및 누압을 막기위해 기존 흑연패
킹만으로 체결이 아닌, 내유성 고무 오링이 2단으로 끼워져 있어, 기밀 및 누유 / 누압
단속에 좀더 안전적인 구조이다.

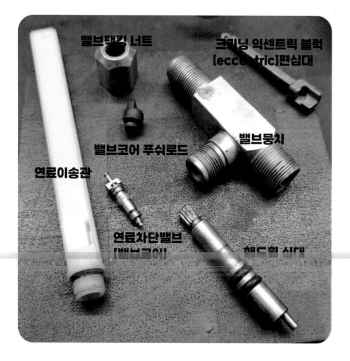

밸브팩킹 너트

크리닝 익센트릭 블럭
[eccentric]편심대

밸브코어 푸쉬로드

밸브뭉치

연료이송관

연료차단밸브
[밸브코어]

핸드휠 심대

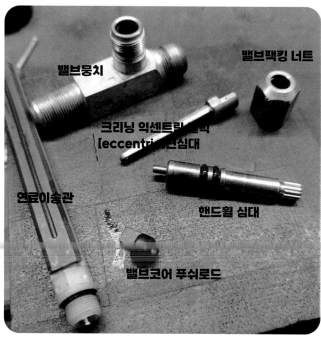

밸브뭉치

밸브팩킹 너트

크리닝 익센트릭 블럭
[eccentric]편심대

연료이송관

핸드휠 심대

밸브코어 푸쉬로드

연료이송펌프 오버홀 작업

이번 작업은 하부
로드 뭉치 오버홀
전과정을 보여준
다.

딱딱하게 경화된
오링을 빼낸상태
다.

스페셜 툴을 이용
해서 연료통과 하
부로드 뭉치를 조
심스럽게 분리 해
서 빼낸 모습이다.

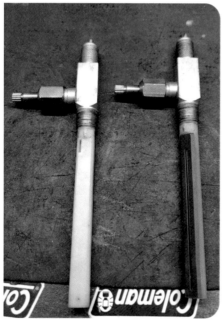

경화된 오링을 빼
내고 새 오링으로
교체작업 전 모습
이다.

하부로드 뭉치를
한번 더 분해 작
업을 거친다.

하부로드 뭉치에
끼워져 있는 기존
소모품들을 제거
하고 새부품을 준
비한 모습이다.

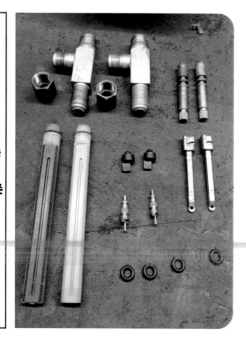

부품 교체 작업
에 들어간다.

전용 툴을 이용해
서 연료차단 밸브
인 밸브코어(무시
밸브)를 빼내거나
끼워 넣는 모습이
다.

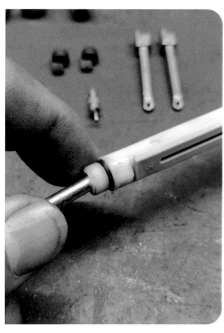

오링 교체 작업을
필두로 연료 이송
관 차단 밸브도
교체 한다.

밸브코어 전용툴
을 이용해서 밸브
코어를 돌려 빼낸
다.

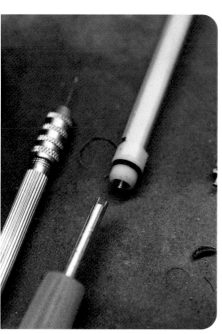

밸브코어 모습.

밸브코어를 교체
전 이송관 하단
연료흡입 구멍을
반드시 뚫는 작업
을 병행해야하며,
기존의 흡입 구멍
너비 상태를 유지
하는게 관건이다.

연료이송관 구멍을 관찰해 보자.

이송관 연료흡입 구멍을 크리닉 및 뚫어주는 상황이다.

연료 이송관 구멍은 아주 작기때문에 연료통에 가솔린을 주입시 반드시 거름망이 있는 깔때기를 이용해야 불순물로부터 막히는 일이 없다.

이송관 연료흡입 구멍의 규격과 동일한 드릴날로 조심스럽게 뚫어줘야 한다.

만약, 막히게되면 하부로드 뭉치를 연료통에서 다시, 빼내야하는 사태가 발생한다.

최종적으로 밸브 코어를 교체하기 전 이송관라인 누유테스트를 진행해본다.
* 참고 이미지 처러, 기포가 옆면 라인에서 발생한다면, 이송관 부품을 교체하는게 좋다.
기포가 실하면, 물꽃뛸림이 발생하기 때문이다.

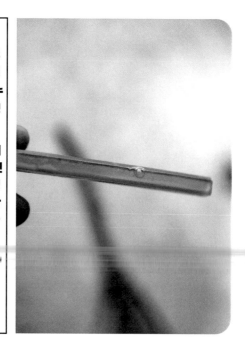

이송관 옆구리에
세어나오는 기포
상태를 보고, 교
체여부를 판단한
다.

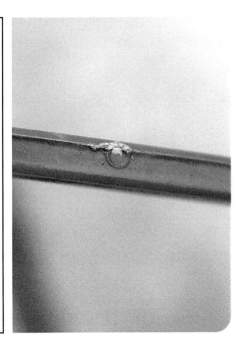

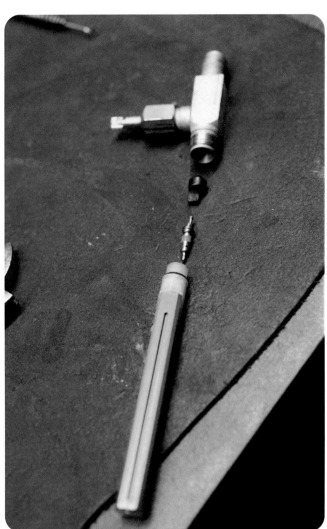

새부품이 있다면,
미련없이 교체가
정답이다.

[TIPS]

불순물로 인한 이송관 하단 구멍이 막히면
연료가 올라오지 못한다.

이로인해, 점화 시 불이 붙지 않고, 연료가
올라오는 소리가 들리지 않는다.

밸브코어(무시밸브)가 막혀도 연료가 올라
오지 않는다.

이로인해, 점화 시 불이 붙지 않고, 연료가
올라오는 소리가 들리지 않는다.

연료 이송관 옆구리가 터져 기포가 발생하
면, 랜턴작동 시, 압력이 빨리 떨어지게 된
다.부과적으로 불빛이 숨쉬는 현상도 발생
하며, 심할경우, 불꽃이 맨틀(심지) 외부로
넘치는 불넘침 현상도 함께 일어나게 된다.

하부로드 뭉치오
버홀 후, 부품 조
립과정을 볼수있
다.

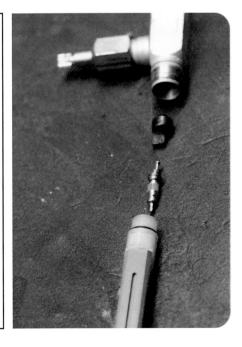

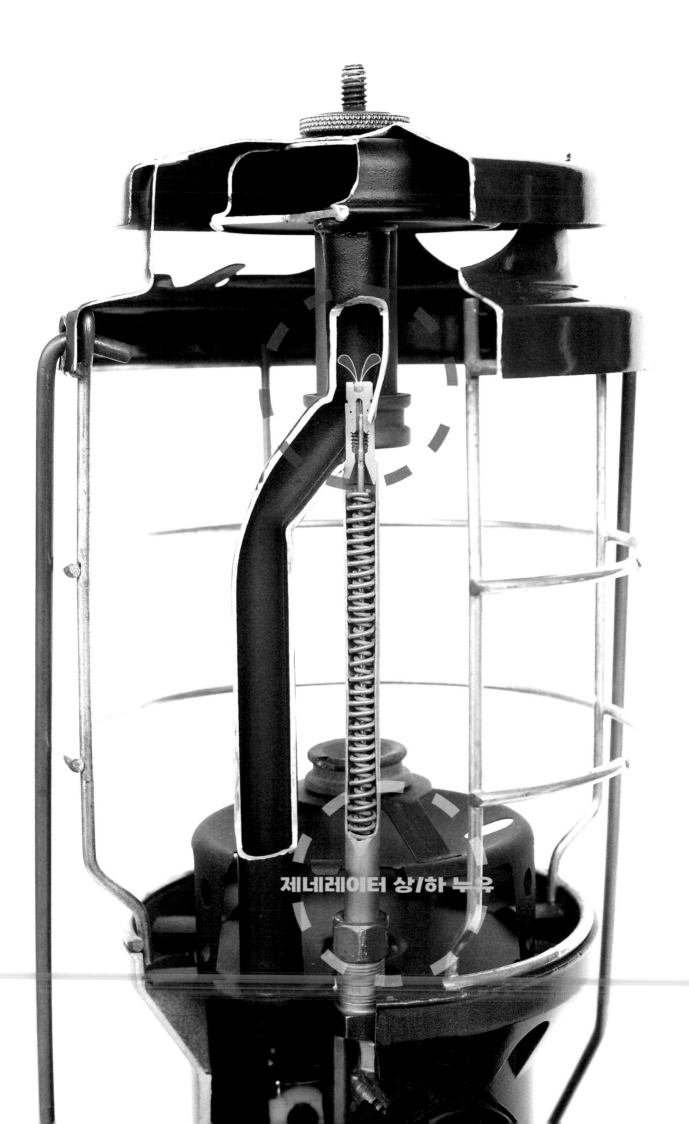
제네레이터 상/하 누유

앞장에서 이야기한 연료 잔류현상으로 프레임 라인 문제가 아닌 제네레이터 상단 노즐에서 흘러나온 연료방울 맺힘현상이다.

누유 원인을 먼저 찾아내는게 안전사고를 미리 막는 역할을 하며, 자가정비를 할수 있다면, 기본적인 분해 후, 제네레이터 부터 확인이 필요하다.

제네레이터 상단 누유로 니플(가스 팁)에서 흘러나오는 현상인데, 흘러나오는 위치를 파악하는게 우선적인 문제 해결 일순위다.

목대아래로 줄줄 흘러내리는 화이드 가솔린 흔적.

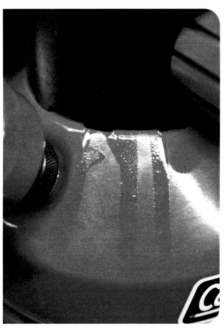

제네레이터 하단부 고정하는 너트에 맺힌 가솔린흔적을 볼 수 있다.

제네레이터 확인 후, 랜턴을 작동중 점화 스파크 부품을 빼내고, 하부로드 뭉치쪽 체결에서도 누유가 있는지 확인이 필요하다.

상단 제네레이터 니플 (가스팁) 쪽의 누유가 아니라면, 하단제네레이터쪽을 면밀히 관찰을 해보자.

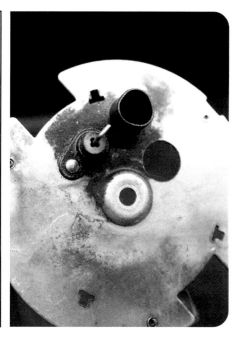

가솔린이 흘러, 하단라인에 불이 붙는다면, 앞장에 설명한 목대(칼라) 내측부 에서 불이 붙어 화재가 발생하게 된다.

가솔린 연료가 제네레이터 내부에서 니플 (가스팁)을 통해 흘러나오는 현상을 표현해 봤다.

화재가 발생하면, 목대 (칼라) 내부에 끼워져 있는 점화 스파크 부품을 태워 녹여 버리기에 랜턴을 소등후 점검이 필요하다.

제네레이터 하단 누유는 화재를 일으킬수 있기에 항상주의 깊게 관찰해야 한다.
너트 풀림 현상이 있는지 반드시 확인요망!

항상 간의 소화기를 한대 비치해놓고, 랜턴 사용 시, 안전사고에 대비를 해두자.

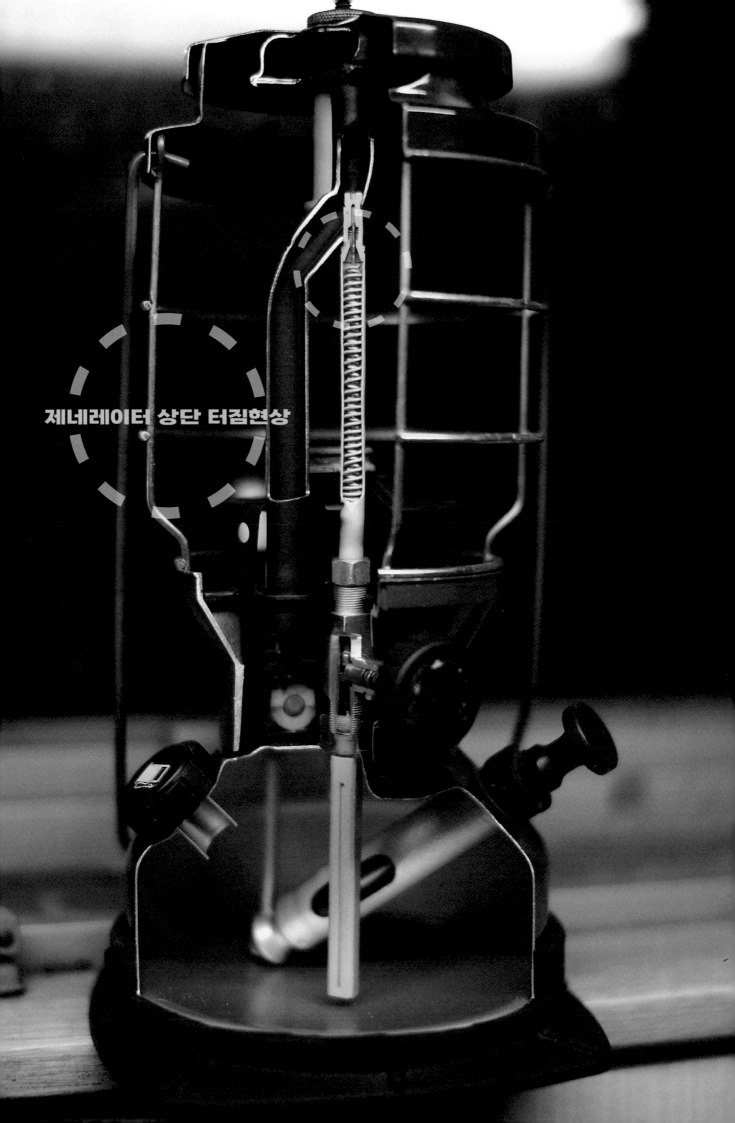

제네레이터 상단 터짐현상

제네레이터 오버
홀후, 발생한 문
제를 봐보자!
노스스타 랜턴의
제네레이터를 청
소하는 상황이다.

조립전, 한번 더
확인 작업에 들
어간다.

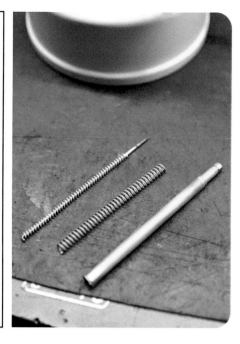

황동 꼬질대를 이
용해서 제네레이
터 내측부의 카본
을 제거하고,비드
샌딩작업을 병행
한다.

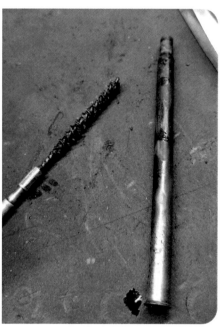

노스스타 랜턴 정
비를 끝내고,전장
부품들을 모두 조
립한 모습이다.
이제, 시험테스트
에 들어갈 차례다.

비드(유리가루)샌
딩으로 깨끗하게
카본을 털어낸 제
네레이터 오버홀
된 모습이다.

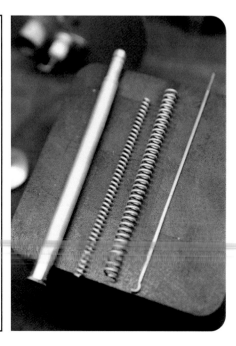

30여분 테스트중
갑자기, 제네레이
터 상단부에서 초
불현상의 불꽃이
삐져나와 점화된
모습을 보여준다.

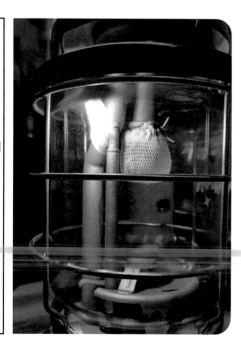

- 43 -

테스트를 중단하고, 후드를 열어본다. 글로브상단부에 그을음이 생겼고, 크랙이 생겼는지 확인을 해본다.

떨어져 나간 부위에 다시 동용접을 할 수있지만, 이정도면 새 제네레이터로 교체 하는게 정답이다.

내열 글로브에 크랙은 없고, 그을음 자국만 보인다.

오랜 사용으로 동 재질에 피로도가 축척되어 있는 상태라 접합을 해도 다시 터질수가 있어 사전에 차단을 한다.

전장부품을 분해후, 제네레이터를 분리 하는중, 제네레이터 상단부가 두동강 나며, 힘없이 빠져버린다. 오랜 고열로 인한 동용접부가 터져 떨어져 나간 상황이다.

새 정품 제네레이터를 개봉 후, 내측부 스프링 & 필터 및 청소 로드침까지 확인후, 교체작업을 시행한다.

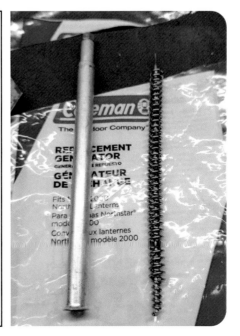

에어흡입관 하단부 누유현상

Coleman

콜맨 노스스타 사용중 프레임 하단 라인에 고이는 연료 잔량현상은 프레임 문제가 아닌, 제네레이터 상단 노즐에서 흘러나온 연료의 방울맺힘 현상이다.

문제는 이렇게 흘러나온 가솔린이 공기중에 증발하면서 상단 맨틀열기로 인해 불이 붙는 2차 사고가 빈번하다.

하단누유는 제네레이터 하단에도 동일하게 일어나는게 특징이다. 노즐 (니플) 에서 흘러나오는 현상으로 확인이 필요하다.

누유가 발생하는 근본적인 원인인 제네레이터 모습을 볼 수 있다. 핸드휠 잠금이 이루어지지 않는 경우나 밤세 내달린 후, 핸드 휠밸브를 잠그지 않고, 다음날 아침까지 방치하면, 자연기화현상으로 흘러 나오며, 흔적을 남긴다.

연료통 라인까지 흘러 나온 가솔린 연료 흔적들을 볼 수 있다.

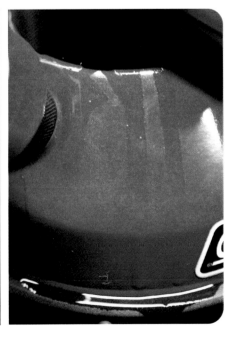

제네레이터 상단에서 흘러나온 가솔린이 굴곡진 라인에 맺힌 모습을 볼 수 있다.

제네레이터 상단에서 흘러나온 가솔린이 프레임 하단까지 흘러내려와 불을 점화하는 순간 하단에 불이 붙는 현상이 일어난 흔적이다.

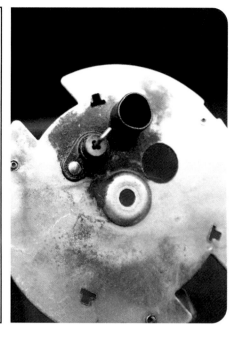

랜턴 목대 (칼라) 안쪽에서 숨은 불꽃은 노스스타 점화장치 부품의 플라스틱을 녹여 흔적을 남긴다.

흘러 내려온 가솔린이 불이붙어 점화스위치의 몸통 플라스틱을 태운 흔적들을 봐본다.

자동 점화 스피크 내측부 분해 모습이다.

콜맨 노스스타랜턴수리중 점화스파크 오버홀작업이다.

뒤집어본 건전지는 촤악의상태로, 단 한번도 빼내본 적없는 모습이다.

찌들어 있는 건전지 상태와 접점부의 부식상태를 확인 한다.

접점부의 동 녹소를 최대한 긁어내고,접점부활제 및 방청제 도포 후, 새 건전지를 넣어 줄 예정이다.

건전지의 상태는 전해질이 모두 흘러 나온듯하다.

새 건전지를 끼워넣고, 스파크테스트를 진행한다.

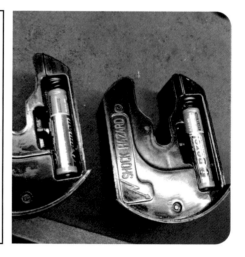

점화 스파크 접점부는 부식으로 녹소가 한가득 한 상태다.

다행히 기판이상 없이 점화스파크가 잘 튀어 준다.

* 랜턴 사용 후, 한번씩 빼내어 청소를 해두자!

이번 작업하는 점화 스파크는 기판 불량으로 내측부를 분해조립까지 진행하는 작업이다.

건전지 접점부는 모두 부식 및 삭아 있다.

납땜라인을 확인 후 기판과 뚜껑을 끼워넣고 닫는다.

기판을 보기위해 먼저 플라스틱 뚜껑을 제거 및 오픈 후, 스페어 기판으로 교체작업을 진행 한다.

건전지 접점부를 살려낸 후, 새건전지로 작동 유/무 확인를 한다.

건전지부 전선을 새로 교체하고, 납땜을 실시한다.

정상작동 상태확인후 플라스틱 뚜껑을 닫고, 접착제를 이용해 단단히 고정 시킨다.

이번 상황은 불넘침 현상을 봐본다.

맨틀[심지] 불넘침 현상

불넘침 현상은 대체로 처음 새맨틀을 달고난후, 맨틀이 자리를 잡아가는 과정에서 생기는 현상이기도 하다.

현재 보는 이미지 현상은 새 맨틀을 달고 난 후의 불넘침 현상이다.

새맨틀을 달 경우 불을 붙이고, 30 ~ 1 시간정도면, 불 넘침현상이 현저히 줄어 들면서 맨틀이 밝게 빛나기 시작 한다.

제대로 된 불넘침 상황을 재현하기가 어려워 가장 비슷한 상황의 예시를 보여준다.

[TIPS]

실제. 불넘침이 더욱 심한 현상이 일어나며, 불꽃이 상단 범랑후드를 넘어 올라오기도 한다. 이러한 증상의 원인은 바로, 제네레이터 상단에 꽂혀 있는 니플 (가스팁)의 구멍이 확공 되어진 현상에서 발생된다. 니플이 풀렸거나, 니플구멍이 커져서 가솔린이 너무 많이 넘쳐 흘러나오면, 불넘침은 더욱 심해진다. 이에, 검정 그을음을 날리며, 주변이 새까맣게 탄다. 이럴때는 니플(가스팁)을 교체하는게 정답이다.

장시간 켜둔 랜턴에 갑자기 비프음이 들릴 때가 있다.
* 비프음 (일반적으로 음높이가 높은 짧은 신호 톤)

귀에 거슬릴 정도로 듣기싫은 소리가 밀려 올 때도 있고, 저음의 둔탁한 소리로 낮게 깔리며, 높은 고음으로 들리는 비프음이 간혹 발생한다.

이러한 원인은, 장시간 켜둔 랜턴이 갑자기 압력이 떨어지는 현상이 발생할때 나타나거나, 대체적으로 연료통에 잔량의 연료보다 연료통 내부 빈공간의 비율이 높아지면 발생 한다.

한마디로, 연료부족 현상이나 압력부족 현상에서 나타 난다.

- 펌핑으로 압력을 더 넣어주거나, 랜턴을 완전히 식힌 후, 연료를 추가로 보충을 해주면 해결 된다.

콜맨 노스스타 정비
&
커스터마이징

콜맨 노스스타 가
솔린 랜턴 정비를
와 커스터 마이징
작업을 시작한다.

하부 로드뭉치를
쉽게, 빼내는 스
페셜툴을 꽂아둔
모습이다.

먼저,노랑색 범랑
후드를 구한후,정
비 작업에 들어간
다.

에어임펙을 이용
해서 고정뭉치에
약한토크를 주어
풀어낸다.

전장부품을 모두
분해한다.상단프
레임과 하단목대
라인 분해작업에
들어간다.

하부로드 뭉치를
연료통에서 분리
시킨 모습이다.

스페셜툴을 이용
해서 하부로드뭉
치를 연료통에서
조심스럽게 빼내
는 작업을 진행한
다.

연료통에서 빼낸
하부 로드뭉치를
세밀하게 다시 분
해할 예정이다.

연료통에서 빼낸
하부 로드뭉치를
모두 분해한 모습
이다.

제네레이터 내측
에서 빼낸 필터스
프링 상태의 모습
이다.

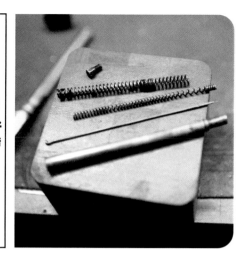

경화되고, 고착된
오링과 부품들 모
습을 볼 수 있다.

제네레이터 내측
부 필터 스프링의
찌든 카본을 샌딩
작업으로 벗겨낼
예정이다.

소모품류는 교환
하고, 나머지 부
품들은 오버홀될
예정이다.

연료통은 내측부
청소 작업을 진행
한다.

먼저 분해해둔 제
네레이터부터 오
버홀 작업에 들어
간다.

세척액과 물 비율
을 맞춰, 연료통내
부에 넣고, 열풍기
아래에서 1차세척
작업에 들어간다.

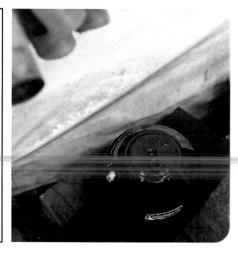

전체 분해한 전장 부품들을 나열해 본다.

필터 역할과 열전도를 담당하는 스프링 모습이다.

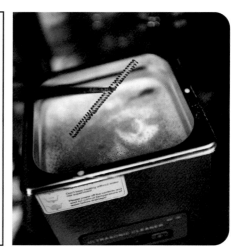

각 파트별 작업공정을 미리 정리해 두고, 우선순위 작업진행을 실시 하기전 단계이다.

하부로드뭉치 부품들도 초음파세척을 진행 한다.

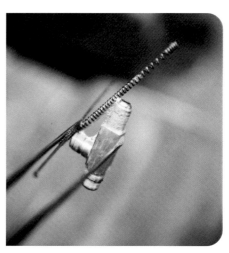

먼저, 제네레이터를 초음파세척기에 넣고, 1차 약품과 진동으로 카본을 제거한다.

하단 연료 이송관의 옆면 터짐현상이 심해서, 새부품으로 교체작업을 진행한다.

제네레이터와 내측부 필터 스프링, 니플 (가스팁) 등 모든 부품을 초음파 세척을 실시한다.

새 이송관부품 모습이다.

핸드휠 뒷편 황동 심대 상태를 봐본다.

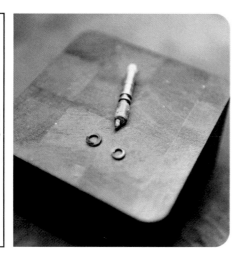

에어직소 톱날로 뚫어놓은 구멍상단을 절개해주는 작업이다.

초음파 세척과 약품으로 1차 세척한 모습이다.

초경날과 에어톱으로 상단프레임 하부 가장자리도 넓혀주는 작업을 진행한다.

찌든때와 빛바랜 황동 심대를 폴리싱 후 모습이다.

상단 프레임과 목대 (칼라) 옆면에 구멍 작업과 다듬기 작업을 끝낸 모습이다.

커스텀 작업시, 대롱 라이터로 불을 붙일 수 있도록 목대 (칼라) 옆면에 구멍을 뚫는 작업을 진행한다.

목대 옆면에서 대롱 라이터로 불을 붙이는 테스트작업을 실시해본다.

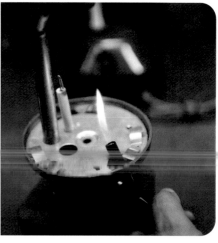

연료통 내측부 청소 상태를 확인하는 작업과정이다.

리무버를 이용해서 페인트를 벗겨낸다.

청소전 연료통 내측부 모습이다.

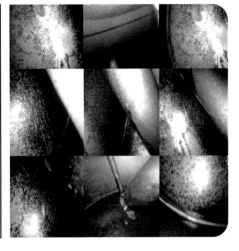

목대 (칼라) 도 리무버를 뿌린후,기존 페인트를 벗겨내는 작업을 실행한다.

청소후 연료통 내측부 모습 이다. 세척액과 더운물로, 헹굼 작업을 실시한 결과이다.

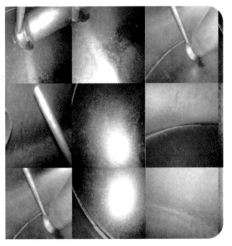

리무버와 페인트 잔재를 닦아낸 후, 모습이다.

본격적으로 커스터마이징 작업을 위한 연료통 외부의 기존 페인트를 벗겨내는 작업이다.

1차 페인트 벗기는 작업이 완료됫다.

2차로 쇠솔질로
빡빡 긁어 낸다.

모래 샌딩을 하는
이유는 녹제거 및
페인트가 표면에
흡착이 잘 되도록
하기 위함이다.

페인트 작업시 제
일 먼저 하부판부
터 방청도료을 이
용해서 뿌린다.

이제, 모래샌딩작
업으로 표면을 모
두 깍아낸다.

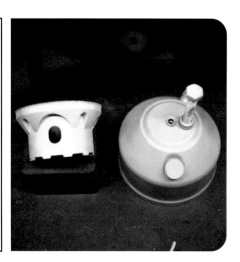

바닥면이 잔 기스
및 벗겨짐이 심하
며, 녹 발생이 쉽
게 일어나기 때문
이다.

수분과 기름기가
없는지 한번 더
건조 시킨다.

도장 작업을 하기
위해 회전판 위에
올려 둔다.

본격적인 페인트
도장작업을 시작
한다.

반복적으로 건조
작업을 병행하면
서 두텁게 색상을
올려 준다.

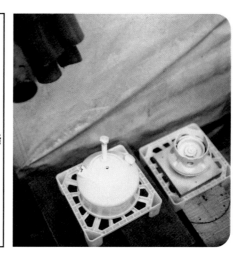

목대(칼라)부품
도 도장 작업에
들어 간다.

열풍기 아래에서
반나절 건조 시킨
후, 3일정도 자연
건조 시킨다.

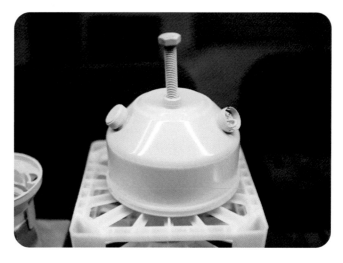

원하는 색상 1차
로 도포한다.

커스터 마이징 작
업중 옵션으로 동
일 색상의 압력게
이지 캡도장 작업
도 병행한다.

연료통 펌핑구에
윤활오일을 듬뿍
넣어 준다.

도장이 완전히 건
조된 상태를 확인
되면, 전장조립에
들어간다.

오버홀한 하부로
드뭉치를 조립하
는 단계다.

연료통 펌핑부품
도 모두 세척 및
정비과정을 거친
다.

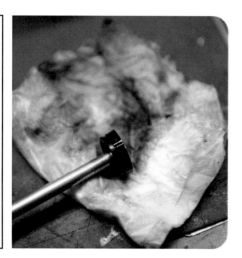

펌핑 로드대에 윤
활오일을 듬뿍 발
라 준다.

경화된 고무 오링
부품을 모두 새부
품 바이톤 재질고
무 오링으로 교체
작업을 진행 한다.

하부 로드뭉치 오
버홀후,연료통 정
위치에 다시,끼워
넣는 작업을 실시
한다.

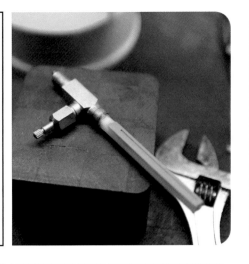

하부로드 상단에
제네레이터를 교
정 및 체결을 해준
다.

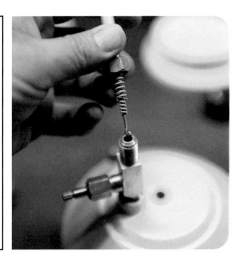

반고정 록타이트
접착액을 바른다.

적당한 토크로 제
네레이터 하단 육
각 너트를 조여준
다.

적당한 토크로 연
료통에 고정 및 정
방향에 맞춰 조여
준다.

상단부 프레임 부
품 오버홀 작업에
들어간다.모두 비
드샌딩 작업을 진
행한다.

세척 작업을 끝낸
제네레이터도 조
립 단계로 들어간
다.

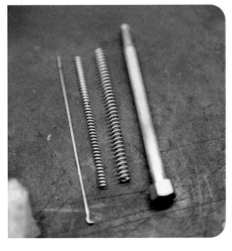

깨끗히 샌딩한 상
단 프레임 부품과
고정핀 홀 및 하단
방열판 & 맨틀 써
포트 모습을 봐본
다.

페인트가 완전히 건조된 상태확인 후, 전장 조립에 들어 간다.

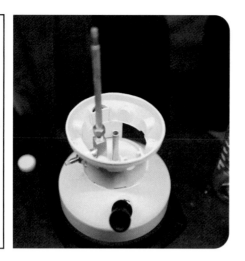

이동 손잡이와 글로브 보호망도 미리 오버홀 작업과 도장작업을 끝내 놓은 상태다.

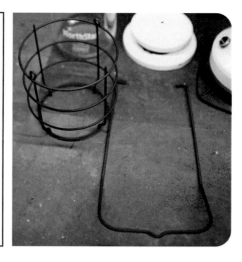

목대 (칼라)를 조립 후, 상단프레임을 올리고, 고정핀과 볼트를 끼워 넣는다.

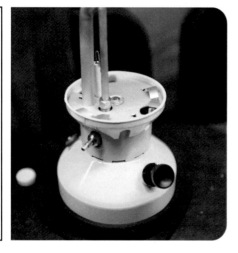

조립완료 후, 테스트용 맨틀을 달고, 깔때기를 이용해서 적당히 가솔린을 넣어준다.

하단방열판 & 맨틀 써포트 프레임도 고정 시킨다.

연료통에 적정량의 가솔린을 넣는다.

압력 게이지 캡을 닫아 준다.

점화 스파크 부품
도 크리닉 후, 새건
전지를 넣어 준다.

펌핑 압력은 맨틀
[심지]태우기 전
미리 넣어둔 상태
다.

점화 시, 스파크
테스트까지 확인
한다.

맨틀에 불이 안착
되면, 적정 압력으
로 끌어올리는 추
가펌핑 작업을 진
행한다.

테스트용 맨틀
을 묶어준다.

30 여분 불 테스
트 단계에 들어
간다.

맨틀 태우기 작업
에 들어간다.

범랑후드 중 노랑
색상과 빨간색상
의 범랑은 뜨거운
열기에 색변화를
확인할 수 있다.

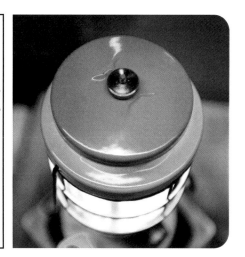

소등 후, 완전히 식
히면, 범랑후드 색
상은 밝은 노랑색
으로 다시 돌아온
다.

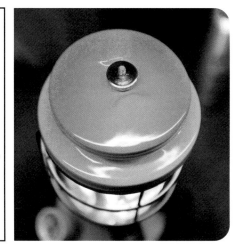

범랑재질은 페인
트가 아닌 도기재
질인, 유약을 발라
800도가 넘는 온
도에서 구워져 만
드는 작업과정을
거친다.

고열에 달궈진 노
랑색 범랑후드는
마치, 단풍이 물드
는 것처럼 보인다.

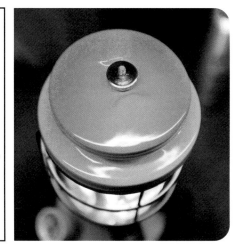

테스트를 끝내고,
불을 소등한다.

최종 완성된 콜맨
노스스타 가솔린
랜턴이다.

* 노랑 색상과
빨간 색상

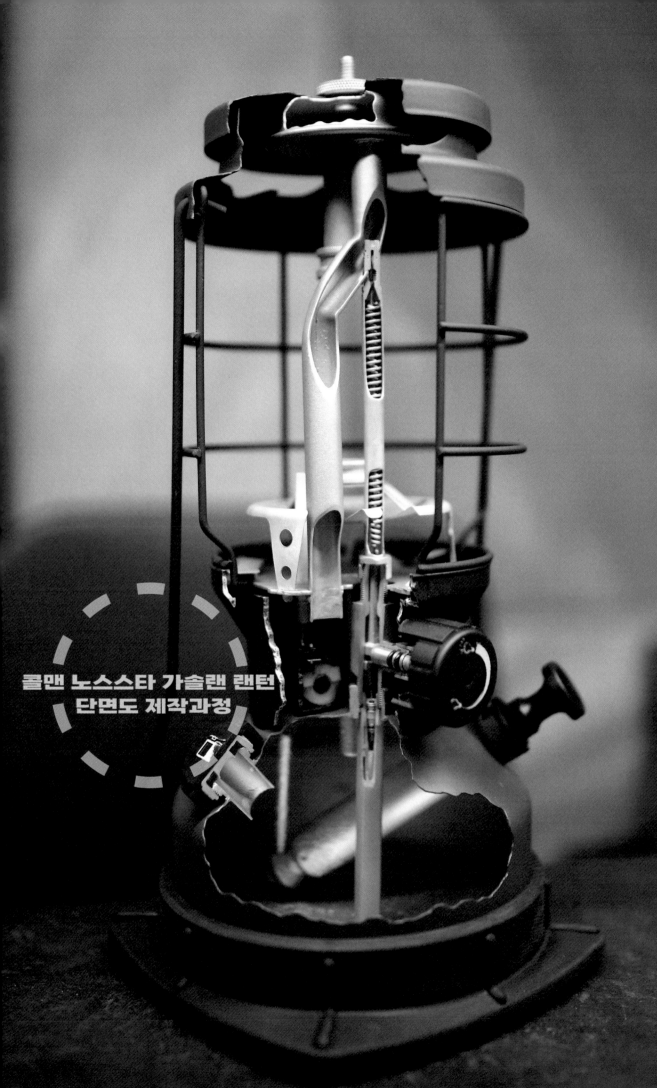

콜맨 노스스타 가솔랜 랜턴
단면도 제작과정

폐급 노스스타 가솔린 랜턴으로 판정이 난 랜턴이다.

모든 부품들을 분리 및 분해시킨후, 부분절단 하기전 깨끗히 오버홀 작업과정을 거칠 예정이다.

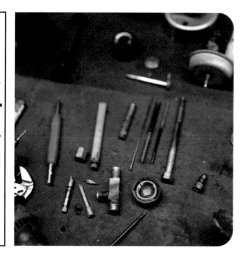

곳곳의 도장면이 부식된 모습이다.

폐급 연료통을 절개 하기전 라인을 긋는다.

하부로드 뭉치부터 스페셜툴을 이용해 분리한다.

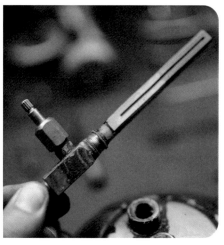

라인을 긋고, 드릴 구멍을 촘촘히 내기 시작한다.

폐기 판정을 받은 이유는 연료통 내측부의 상태가 부식이 심했다.

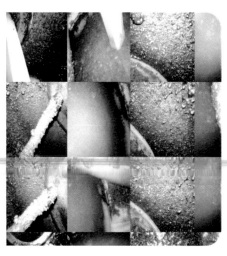

구멍라인을 따낸 후, 날카로운 면을 모두 갈아낸다.

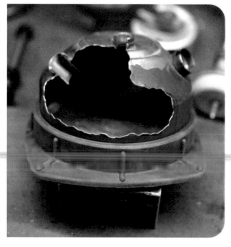

각 부품들의 절개 및 샌딩작업과 연료통 도장 및 건조 후, 조립단계에 들어간다.

폐급 연료통 내부 모습을 관찰해 본다.

각 부품들의 절개 라인 면을 맞추며, 단차를 조정한다.

연료통 내측부 부식 상태를 봐본다.

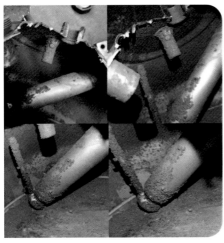

이제, 각 부품에 절개 라인을 그린 후, 하나씩 조심스럽게 절단작업을 시작한다.

전장 조립과 단차 면이 하나씩,잡혀 간다.

전체 조립을 모두
완료한 모습을 봐
본다.

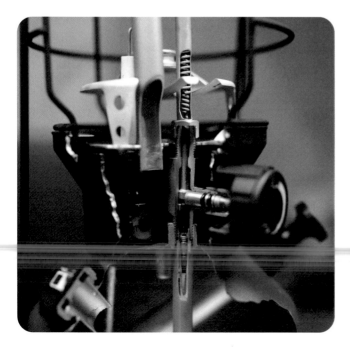
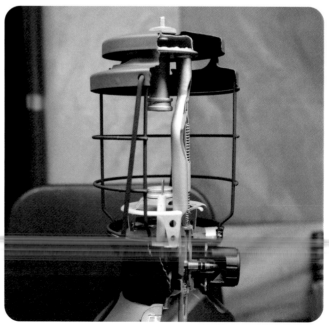

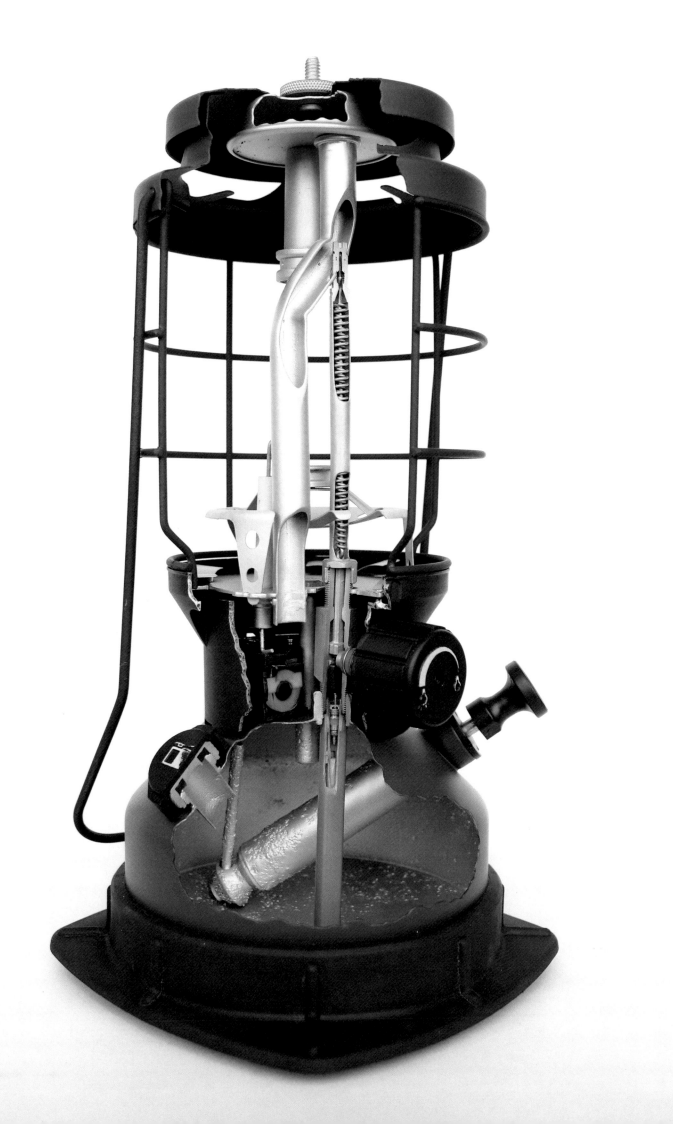

랜턴 글로브(내열 유리) 모래샌딩

랜턴 글로브 샌딩
작업 과정이다.

샌딩 느낌은 무늬
커팅 작업이 90%
를 차지한다.

커팅 시트지를 유
리 붙인 후, 모래
샌딩기기에 넣고,
샌딩을 한다.

모래샌딩 작업을
거친 후, 붙여 놨
던 커팅 시트지를
제거 및 물에 세
척후 모습이다.

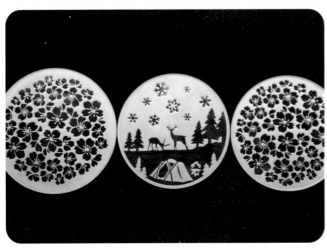

샌딩 작업은 유리나 스텐에도 가능하다.
스텐랜턴 갓에 글자 커팅을 붙인 후 샌딩 작업을 해봤다.

콜맨 노스스타 가솔린 랜턴
5대 싸운드

콜맨 200A 가솔린 랜턴

[콜맨] 200A 가솔린 랜턴

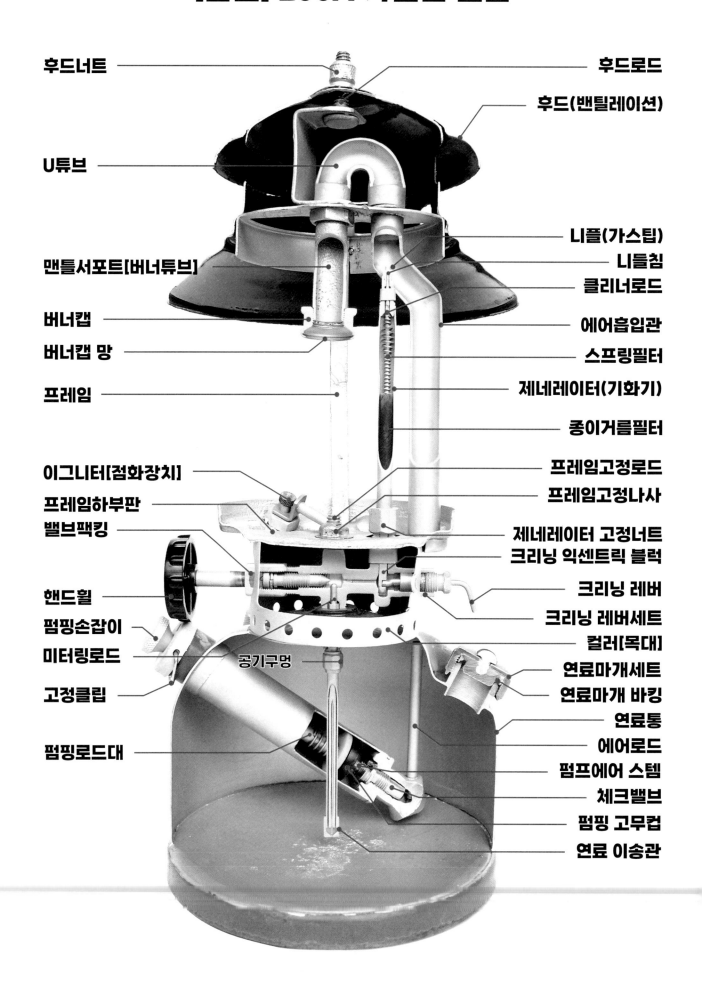

후드너트 — 후드로드

후드(밴틸레이션)

U튜브

니플(가스팁)
니들침
맨틀서포트[버너튜브] — 클리너로드

에어흡입관
버너캡
스프링필터
버너캡 망

제네레이터(기화기)
프레임

종이거름필터

프레임고정로드
이그니터[점화장치]
프레임고정나사
프레임하부판
제네레이터 고정너트
밸브팩킹
크리닝 익센트릭 블럭

크리닝 레버
핸드휠
크리닝 레버세트
펌핑손잡이
컬러[목대]
미터링로드
공기구멍
연료마개세트
고정클립
연료마개 바킹

연료통
에어로드
펌핑로드대
펌프에어 스템
체크밸브
펌핑 고무컵
연료 이송관

[콜맨] 200A 가솔린 랜턴 작동원리

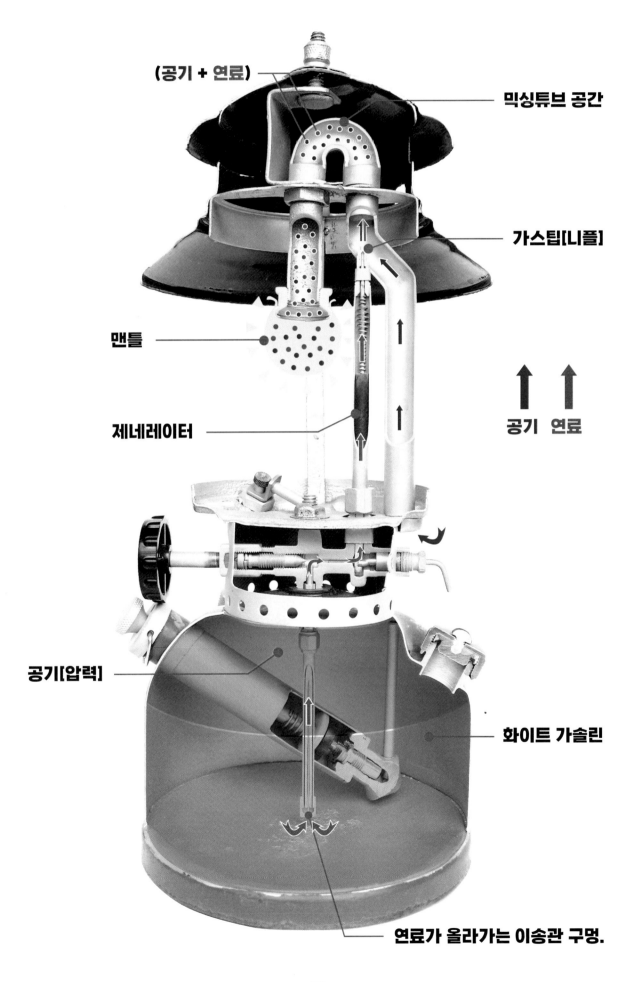

(공기 + 연료)

믹싱튜브 공간

가스팁[니플]

맨틀

제네레이터

공기 연료

공기[압력]

화이트 가솔린

연료가 올라가는 이송관 구멍.

콜맨 200A 펌핑라인 ON/OFF 방법

흑연링 구조 및 연료이동 라인

펌핑바킹 및 체크밸브 청소

[ON]

콜맨 랜턴의 펌핑 손잡이 사용방법은 먼저, 손잡이
를 손가락으로 잡고, 시계반대 방향으로 돌려준다.

에어스템
(2차 단속핀)

스템 구슬
(1차 단속핀)

에어스템의 2차 단속 핀이 빠져나와 압축 공기가
들어갈 수 있는 빈틈이 생긴다.

- 왼쪽방향 -

손가락으로 빠르고, 가볍게 돌리는 회전수는 대략
11 ~ 12번 정도이며, 정확한 바퀴수 는 6~7 바퀴다.

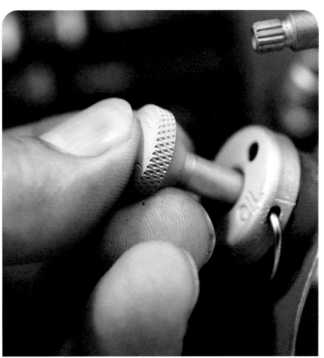

펌핑손잡이 구멍을 엄지손가락으로 막고, 펌핑을
실시 한다. 적당한 압력을 넣은후, 다음단계를 재
빠르게 실행시켜야 한다.

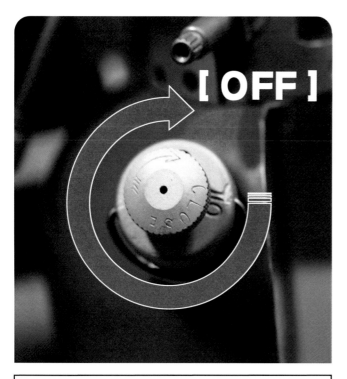

[OFF]

펌핑 압력을 넣고 재빠르게 시계방향인 오른쪽으로 에어스템이 꽉! 잠길때까지 돌려준다.

에어스템
(2차 단속핀)

스템 구슬
(1차 단속핀)

에어스템의 2차 단속 핀이 체크밸브 깊숙히 들어가 박힌다. 압축 된 공기가 빠져나오지 못하는 상황을 만들어 준다.

- 오른쪽 방향 -

잠그는 바퀴 횟수는 중요치 않고, 더 이상 잠거지지 않을 때까지 꽉! 돌려 주면 된다.

[TIPS]

콜맨 가솔린 랜턴들 중 펌핑하는 방식이 두가지로 나눠진다.

1) 노스스타 가솔린 랜턴처럼 밸브코어(무 시밸브)방식
 - 그냥 펌핑만 하면 압력이 차단 및 세지 않는다.
   (ex : 노스스타 가솔린 랜턴)

2) 체크밸브 내 에어스템 & 스템구슬 방식
 - 1차, 2차 차단 방식의 절차가 있으며, 압 력차단이 2중이다.
   (ex : 200α, 시즌랜턴, 288, 파워하우 스 639랜턴 등등)

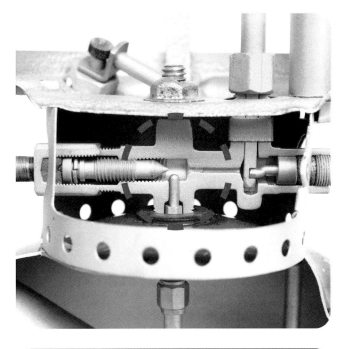

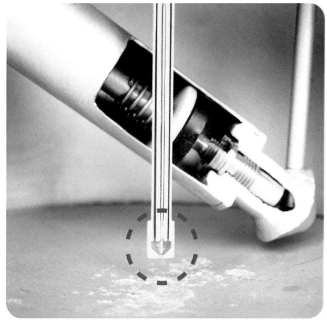

핸드휠 열린상태

콜맨 랜턴중 구형버전의 하부로드에는 미터링 로드(이송관 중앙에 위치한 핀)가 존재하기에 핸드휠을 열고 닫을 시, 하단 연료이송관 구멍을 찔러주는 역할도 한다.

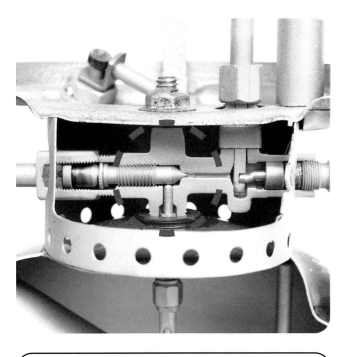

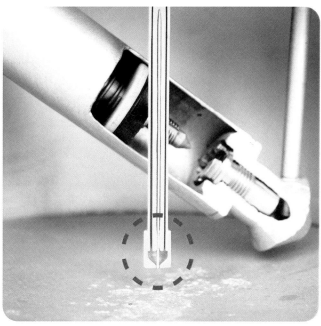

핸드휠 닫힌상태

만약, 연료통안 찌꺼기가 이송관 라인에 걸려 있다면 미터링 로드(이송관 중앙에 위치한 핀) 크리닉 역할도 하게 된다.

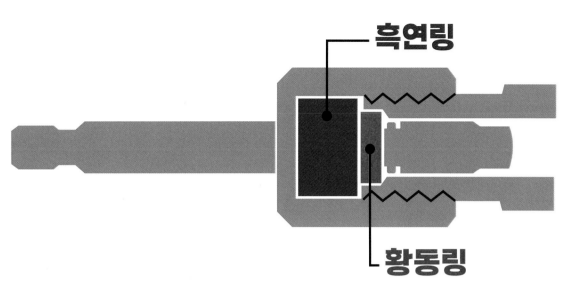

흑연링

황동링

<< 콜맨 200a랜턴 핸드부 흑연링위치 모습. >>

* 흑연링 뒷, 황동링 위치 모습이다.(황동링이 뒤쪽 1개)
* 콜맨 200a랜턴의 흑연링 두께는 황동링 사이즈 보다 더 두꺼운 지름으로 핸드휠 홀 바깥쪽
  으로 삽입이 아닌, 걸쳐진 형태이다.
* 핸드휠 너트를 조이면, 너트자체가 흑연링을 압착하여, 기밀유지상태를 조절한다.

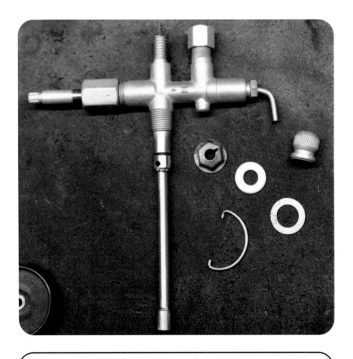

콜맨 200A 랜턴, 하부로드 뭉치 모습이다.

콜맨 200A 랜턴, 미터링로느(이송판 등양에 위치한 핀)
와 스프링.

체크밸브 상태는 항상 최상으로 유지되야 하며, 가압식 랜턴에서 누압이 발생하면 사고로 이어지기에 주의깊은 관찰이 필요하다.

체크밸브 내측부 1차 압력 단속 역할을 하는 스템 구슬의 움직임을 살려 내야 한다.

체크밸브 전용툴을 이용해서 빼낸다. 전용툴을 이용하지 않고, 일자드라이버등 으로 빼내려다, 랜턴을 망가트린 수 있다.

스템 구슬이 고착 되거나, 누압이 발생 한다면, 미련없이 새 체크 밸브로 교체해줘야 안전 사고를 사전에 막을 수 있다.

보조도구인 몽키 스페너를 이용해서 돌려준다. 되도록이면 조금 큰 사이즈 스페너를 이용하는게 풀어낼때 부하가 덜 걸린다.

체크밸브와 함께 2차 단속 부품 인 에어 스템 봉대.

체크밸브에 끼워 돌려서 고정시켜 누압이 발생하는지 관찰해야하는 필수 부품이다.

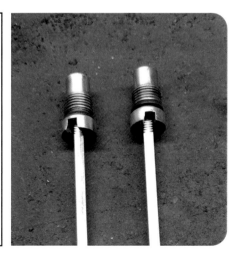

오랜시간 방치한 흔적이 체크밸브 상태를 보고 판단할 수 있다.

펌핑 라인 하단에 체크밸브 및 에어 스템봉대가 잘 끼워져 있는 모습이다.

콜맨 시즌랜턴의
펌핑바킹 교체작
업과정이다.
얼마나 오랜시간
방치를 했었는지
펌핑라인 전체가
녹과 찌꺼기로 뒤
덮혀 있다.

오랜시간 오일없
이 방치한상태로
내유성 고무재질
이 삭아서, 터져나
간다.

콜맨 시즌랜턴의
펌핑라인을 빼본
다.

콜맨 시즌랜턴의
펌핑라인 부품분
해 모습이다.

요즘 나오는 신형
방식으로 너트 타
입이 아닌, 클립방
식의 스타일 이다.

펌핑로드대 및 펌
핑시 텐션을 잡아
주는 스프링도 녹
에 찌들어 있다.

펌핑라인 부품을
모두 비드샌딩작
업을 진행한다.

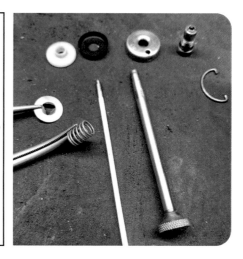

펌핑바킹 고무상
태는 이미, 생을
다한 모습이다.

펌핑바킹의 관리
는 딱! 한가지다.
3회 작동 시, 오
일 1회 보충.

새 가죽바킹을 준비한다. 고무재질 바킹이나 가죽재질바킹 모두 판매되어지고 있다.

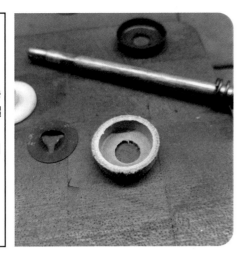

연료통 펌핑라인 내측부 세척작업 모습이다.

새 가죽바킹을 제위치에 끼워 넣고 클립 방식 와셔로 고정 시킨다.

펌핑 로드대에 에어스탬 봉까지 끼워 넣고,연료통 펌핑라인 안으로 끼워 넣는다.

펌핑라인 조립이 완성된 모습이다.

한번 더 오일을 펌핑 라인에 도포 해 준다.

오일을 듬뿍,발라 준다.가죽 바킹은 오일통에 장시간 담가두면 수명도 오래간다.

최종 펌핑로드 덮개까지 끼워넣고, 한번 더 오일을 펌핑라인에 도포 해 준다.

콜맨 14년 시즌 & 07년 헤리티지 랜턴

정비 및 수리

두대의 랜턴 정비
를 시작 해본다.
2007년도 와 20
14년도 시즌 랜턴
이다.

각각 랜턴별로 부
품을 분리 및 나열
해본다.

전장 분해 작업에
들어가다.

2014 년도 시즌
랜턴이다.

두대의 시즌랜턴
이 모두 분해된모
습이다.

2007년도 헤리
티지 랜턴이다.

각 부품의 상태 체
크에 들어 간다.

분해를 못하도록 한 걸쇠부품을 풀어낸 모습이다.

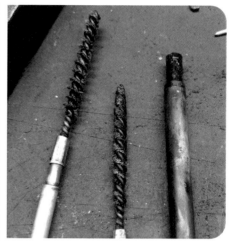

꼬질대로 제네레이터 내측부 세척을 준비한다.

제네레이터가 분해 할 수 없는 구조로 분해 할 수 없도록 만들어져 있다.

또다른 제네레이터는 그나마, 구형방식으로 내측부에 스프링 필터와 종이필터가 끼워져 있는 모습이다.

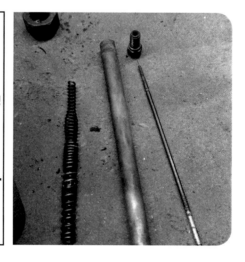

무조건 새부품 으로 교체를 하도록 상황을 만들어 놓은거다.

제네레이터 내측부는 스프링 필터 무쓸능의 원가살감을 한 모습이다.

제네레이터 부품 상태가 안좋은 편이다.

제네레이터 부품
을 오버홀 작업한
모습이다.

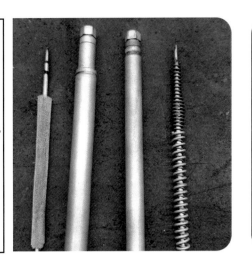

하부 이송관 연료
차단 밸브는 기능
을 상실했다.관리
가 전혀 안된상태
의 모습이다.

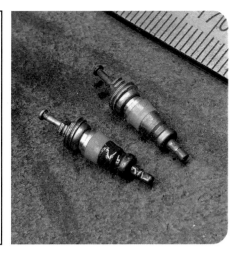

체크밸브도 오버
홀을 끝낸 상태다.

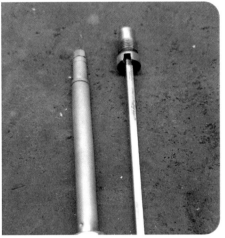

두대의 하부 로드
뭉치를 오버홀 한
모습이다.

동일한 형태의 하
부로드 구조다.

하부 로드 뭉치인
핸드휠 뒷편부품
이다. 찌든때와
부품상태가 엉망
이다.

이제 연료통 내측
부 청소를 해야하
는 순서다.

청소전 연료통 내
측부 봐본다.

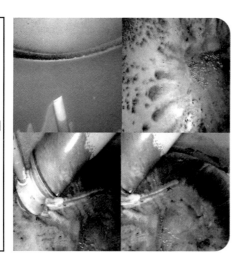

깊은 녹소나 부식
이 없다. 화이트
가솔린을 사용하
는 랜턴이기에 사
용은 편하나,항상
연료통 관리를 해
줘야 안전사고를
사전에 막을 수있
다 .

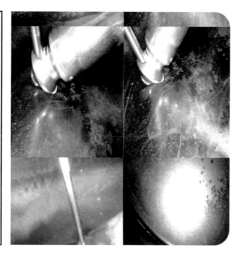

청소후, 연료통 내
측부 모습이다.
다행히, 부식은 없
는 상태로 오래된
찌든 얼룩들만 보
인다.

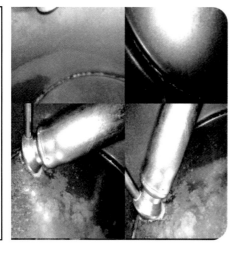

연료통 청소 후 완
전히 건조 시킨 다
음 하부로드 뭉치
를 끼워 넣는다.

또다른 연료통 내
부를 청소전 봐본
다.

연료통 펌핑 라인
에 체크 밸브를
끼워 넣는다.

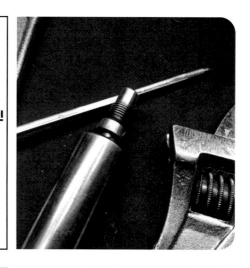

부식은 없지만,정
말 관리자체가 안
되고 있는 상태다.

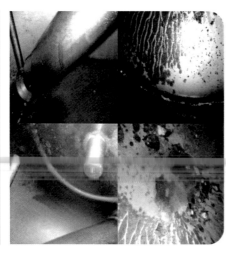

찌들어 고착된 체
크밸브가 이제는
제 기능을 해 줄
거다

펌핑 고무 바킹은
세척 후 경화된 곳
이 없기에 재사용
가능으로 판단을
내린다.

오버홀 한 제네레
이터내측부, 청소
로드침이 자리를
잘 잡는지 체크해
본다.

오일을 듬뿍 넣어
발라 준다.

반고정 용액을 바
른 후, 하부로드
뭉치를 연료통 정
가운데에 끼워 넣
는다.

펌핑라인 내측부
세척 후, 오일을
주입해 준다.

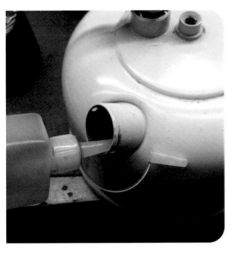

앞서 작업한 동일
한 방법으로 또다
른 랜턴도 조립를
진행한다.

펌핑 라인에 오일을 듬뿍 넣어 준다.

두대의 랜턴이 새롭게 탄생하는 순간이다.

오버홀한 제네레이터 내측부 청소 로드침 상태를 반드시 확인 한다.

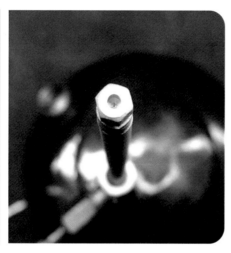

최종 불테스트를 위한 맨틀 [심지] 태우기 작업을 진행 한다.

동일하게, 다른랜턴도 맨틀 태우기 작업을 진행한다.

상단부 에어 라인 프레임을 비드 샌딩 작업을 진행한다.

30여분 불 테스트를 거치고, 무사히 살아난 두대의 랜턴 불빛을 봐본다.

콜맨 16년 시즌 랜턴 정비 및 수리

콜맨 2016년도 시즌 랜턴 정비 과정이다.

장시간 방치 및 관리불량 상태가 확인 되어 진다.

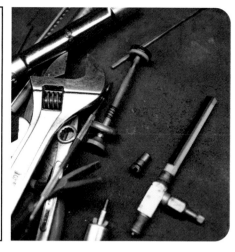

일단, 겉모습은 이상이 없어보인다.

오랜 시간 사용치 않고, 방치를 했던 터라 연료 이송관 차단 밸브가 고착된 상태다.

체크밸브를 스페셜툴을 이용해서 분리 작업을 진행한다.

연료 이송관 상태도 찌꺼기로 막인 상태라, 새 이송관 부품으로 교체 하는걸로 진행한다.

전체 부품들도 모두 분해작업을 진행한다.

핸드휠 뒷 편심대 고무 오링도 경화되어 딱딱한 상태다.

시즌 랜턴들의 제네레이터는 거의 모두 재사용을 못하도록 고정 단추가 끼워져 있다.

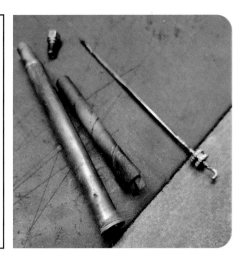

청소 로드침과 함께 오버홀 한 제네레이터 파이프 라인에 끼워진 모습이다.

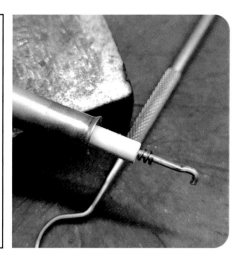

제네레이터 내측부에 끼워져 있는 걸쇠 단추 모습이다.

고착된 체크밸브도 초음파 세척과 오버홀 작업을 거친다.

제네레이터 안쪽에는 스프링 필터도 없는 구조여서, 재사용을 위해 구형 200α 스프링 필터와 정품 종이 필터를 끼워 오버홀 작업을 진행한다.

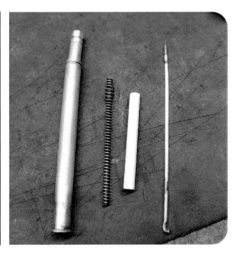

오버홀 및 폴리싱과 내측 구슬밸브 움직임까지 체크가 끝난 상태다.

200α용 스프링필터와 종이 필터 모습이다.

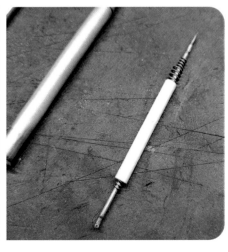

전용 스페셜 툴에 끼워져 연료통 내측부에 끼워질 차례다.

연료 필러캡 내측부 누압을 잡아주는 고무 바킹상태 체크 후, 교체 나 비드 샌딩으로 오버홀 작업 진행여부를 판단 한다.

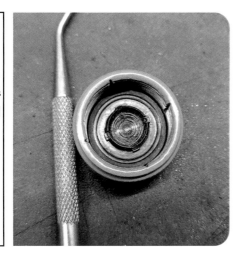

내측부 청소 후, 깊은 녹이나 부식 흔적은 없기에 사용 가능한 상태를 확인한다.

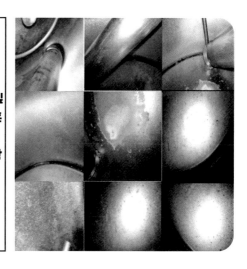

말랑한 상태 확인 후, 내측부 찌든동 녹과 부식을 비드 샌딩 작업으로 정리한 모습이다.

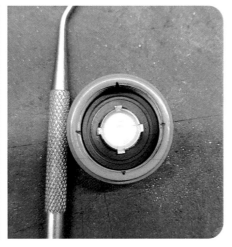

반고정 용액을 바른 후, 연료통 중앙에 끼워넣고, 정방향에 맞춰 돌려 고정 시킨다.

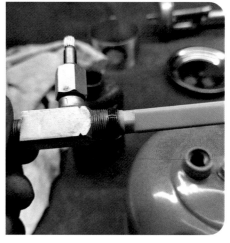

연료통 내측부 상태 및 청소를 진행한다.

하부 로드와 제네레이터 및 펌핑 라인까지 조립을 진행 한다.

내부 청소 전모습이다.

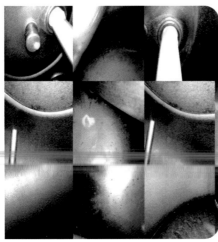

펌핑 라인에 오일을 주입 한다.

거름망이 있는 깔때기를 이용 해야 하부 연료 이송관 라인이 막히지 않는다.

맨틀[심지]을 태우기 전, 압력은 미리 넣어진 상태다.

최종 테스트를 위한, 적정량의 가솔린을 넣고, 테스트용 맨틀을 묶는다.

30 여분 불 테스트을 진행한다.

콜맨 Dual Fuel_ 285A 랜턴 정비 및 수리

콜맨의 투맨틀을 다는 대표적인 랜턴이다.

하부 방열판겸 글로브(유리)하단을 잡아주는 텐션 역할을 하는 부품이다.

상단 투맨틀 프레임.

캠퍼들 사이에서 가장 흔한 보급형 랜턴 이다.

전체 분해에 들어간다.

내시경을 통해 연료통 상태확인 및 하부 연료 이송관 확인으로 깨끗한 상태확인, 제네레이터만 분리 및 오버홀 작업으로 정리한다.

토치를 이용한 열기로 결쇠단추 라인을 가열하여 결쇠단추를 빼낸다.

제네레이터를 분리한 후 연료통 모습이다.

내측부 종이 필터 모습이다.

제네레이터 고정 너트와 제네레이터 상단부 가스팁 부품 모습이다.

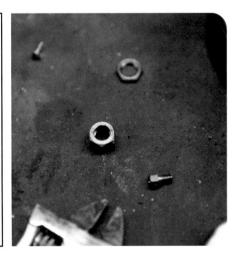

열로 인한 제네레이터 파이프 변형 상태를 펴준다.

분해를 못하게 결쇠 단추가 끼워져 있는 제네레이터 모습이다.

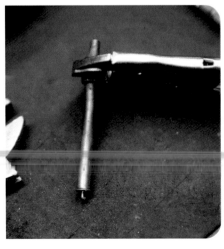

콜맨 200α에 사용되는 스피링 필터와 새 종이필터로 교체 작업을 진행한다.

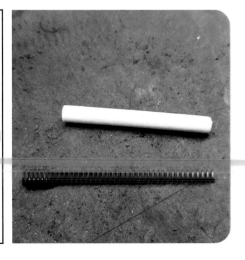

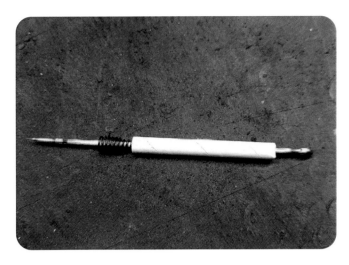

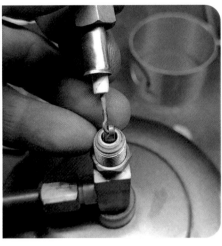

오버홀한 제네레
이터를 제자리에
끼워 고정 시킨다.

30 여분의 불 테
스트를 진행한다.

열변형 상태 체크
및 제네레이터 수
직 라인을 교정 한
다.

기존 맨틀 그대로,
상단 프레임을 고
정 시켜준다.

콜맨 220F 랜턴 & 325 랜턴 정비 및 수리

두대의 콜맨랜턴 정비 과정이다.

로드대 끝단 가죽 바킹을 오일통에 넣어둔다.

청소 로드침 밸브가 따로있는 구형 버전의 제네레이터부터 분해를 진행한다.

펌핑 라인에도 오일을 주입해주고, 제네레이터 상태를 확인 및 이상이 없어 보여, 불테스트를 바로 진행해 본다.

청소 로드침이 분리 작동하는 구형 버전 모습이다.

적정량의 화이트 가솔린을 깔때기를 이용해서 넣고, 미리 펌핑을 해둔다.

펌핑 로드대를 분리 한다.

맨틀을 묶고, 맨틀 태우기 작업에 들어간다.

맨틀이 하얗게 변할때까지 기다린다.

펌핑라인에도 충분히 오일을 넣어준다.

불 테스트에 들어간다.

220f랜턴은 별탈없이 잘 달려준다.

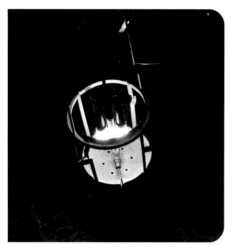

전체 조립상태를 한번 더 확인 한다.

문제가 발생한 콜맨 325랜턴 이다.

기본정비로 최종 압력을 넣고, 불 테스트를 진행하려는 찰라, 연료가 올라오지 않는 증상이 나타났다.

외관상은 깨끗한 편이라, 기본정비로 시작하여,펌핑로드 가죽 바킹부터 오일을 충분히 적시는 작업을 진행한다.

테스트용 맨틀까지 달아놓고, 태워준 상태다.

하부라인 전체를 빼내봐야하는 상땅이다.

하부 라인을 분해
해야하는 상황이
다.

하부 로드 뭉치를
빼냈다.

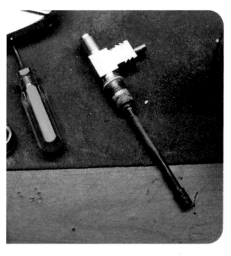

핸드휠 방식은 80
년대 형식이다.
캐나다 산 랜턴이
다.

하부 연료 이송관
라인이 찌들고,엉
망이다.

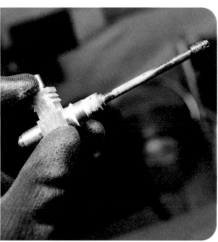

이 핸들방식의 문
제점은 연료 단속
에 인터벌이 생긴
다.

한마디로, 사이텀
생겨 생각만큼 조
절이 안된다.

연료 이송관 라인
만 분리 시킨다.

일단 하부 로드뭉
치를 빼내 보면 답
은 나올거다.

찌들어 있는 찌꺼
기를 불리기 위해
초음파 세척통에
약품과 함께 하부
이송관 부품을 넣
는다.

하부 이송관 라인 오버홀 후, 한번더 긴 침을 이용해서 연료 이동 통로를 뚫어 준다.

핸드휠 뭉치의 재 질이 알루미늄이다.

연료 이송 라인을 확실하게 반복적 으로 뚫어 준다.

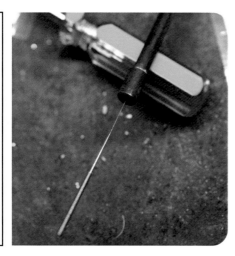

육각너트등이 없 는 구조로, 클립 이 끼워져, 고정 시키는 방식이다.

하부 이송관은 구 형 스타일의 황동 재질인데, 하단에 미터링 로드대가 없는 구조의 랜턴 이다.

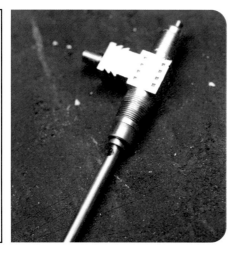

이 클립 방식의 문 제점은 고무 오링 이 경화되면 가솔 린이 세어 나오는 결함이 생긴다.

반고정 용액을 바 른 후, 연료통 중 앙에 끼워 넣는다.

제네레이터는 20 0α용 스프링 필터 방식에 종이 필터 는 새로 교체해서 소팁를 해준나.

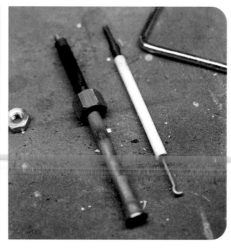

오버홀 한 제네레이터도 제자리에 안착 후, 청소 로 드침까지 고정 시킨다.

핸드휠의 구조적인 연료 인터벌과 단속이 깔끔 하지 않는 80 년대 밸브 형태의 모습이다.

이 핸들 구조는 결국, 실패한 방식으로 현재 사용되지 않는다.

현재는 육각너트에 흑연패킹을 넣어, 한번 더 누유를 막아주는 역할까지 해준다.

그로인해, 사용시 화재에 노출 되는 상황과 누유 사고 시 대체가 어려운 상황에 직면할 수 있다.

중앙 프레임 고정은 스터드 볼트방식으로 체결되어 진다.

콜맨에서도 이후, 핸드휠 방식을 한 단계 업그레이드 시켰고, 이러한 문제점을 보완 및수정을 한 상태다.

다시, 불 테스트를 위한 준비를 한다.

1960~70년대 콜맨 220f 랜턴과 1980년대 325 랜턴의 모습이다.

1944년도 : Akron / AGM (Albert Lee,MN) / Coleman (Wichita, KS)

1945년도 : AGM / Coleman

1951년도 : AGM

1952~1961년도 : Coleman

1963년도 : Coleman / Thermos

1964~1966년도 : Coleman

1967년도 : Coleman / AutoFab Military Gas Lantern Us-Afm-1967 [Auto- Fab Manufacturing]

1968~1969년도 : Coleman

1971~1972년도 : Form-Tech

1973~1976년도 : Coleman

1977년도 : Armstrong Products (Huntington, WV)

1978년도 : Armstrong Products

1979년도 : Coleman / SMP (State Machine Products, Dry Ridge KY)

1980~1991년도 : SMP

U S
QUADRANT GLOBE
GASOLINE LANTERN
STOCK NUMBER
6260-174-3874

Open ¼ Turn
to Left and Light

After Mantle Burns
Bright Open as
Far as Possible

콜맨 252 미군용 가솔린 랜턴

[콜맨] 미군용 252 가솔린 랜턴

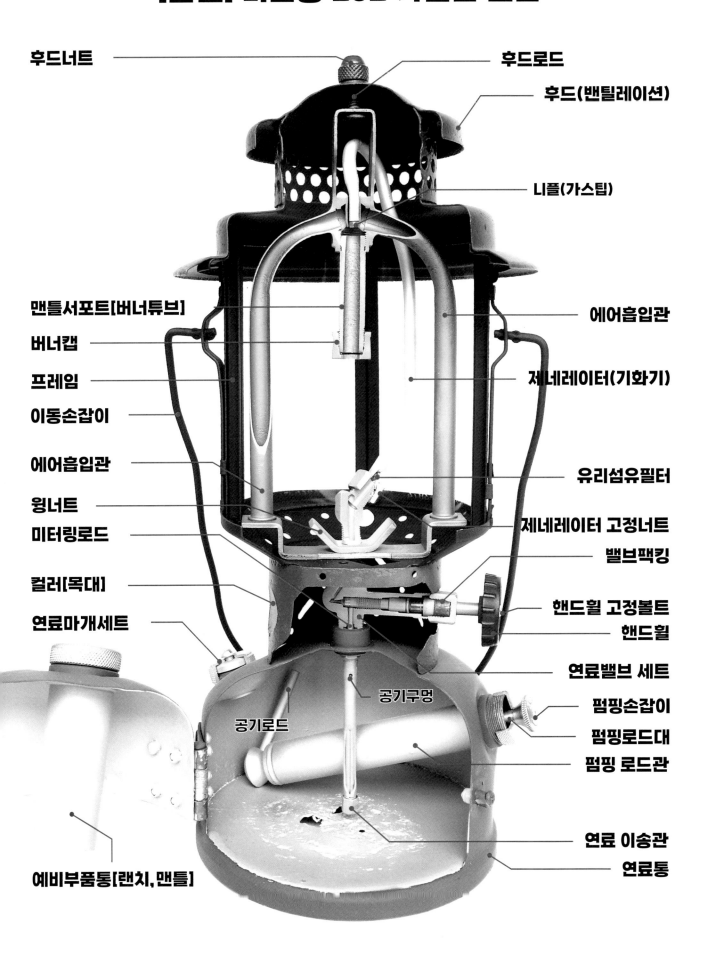

후드너트 ─────── 후드로드

후드(밴틸레이션)

니플(가스팁)

맨틀서포트[버너튜브] ─────── 에어흡입관

버너캡

프레임 ─────── 제네레이터(기화기)

이동손잡이

에어흡입관 ─────── 유리섬유필터

윙너트

미터링로드 ─────── 제네레이터 고정너트

밸브팩킹

컬러[목대] ─────── 핸드휠 고정볼트

연료마개세트 ─────── 핸드휠

연료밸브 세트

공기구멍 ─────── 펌핑손잡이

공기로드 ─────── 펌핑로드대

펌핑 로드관

연료 이송관

예비부품통[랜치,맨틀] ─────── 연료통

[콜맨] 미군용252 가솔린 랜턴 작동원리

미군용랜턴은 공기와 연료가 섞이는 믹싱공간이 거의 없는
상태로 연료와 공기가 순간 뿜어져나오기 때문
에 다른랜턴들과 다르게 소음이 무척 많이
발생하는 타입이다.

그로인해, 쏟아지는 압력이 강하기때문에
맨틀이 잘부서지는 현상도 발생한다.
 *(버너캡에 철망이 없는구조)

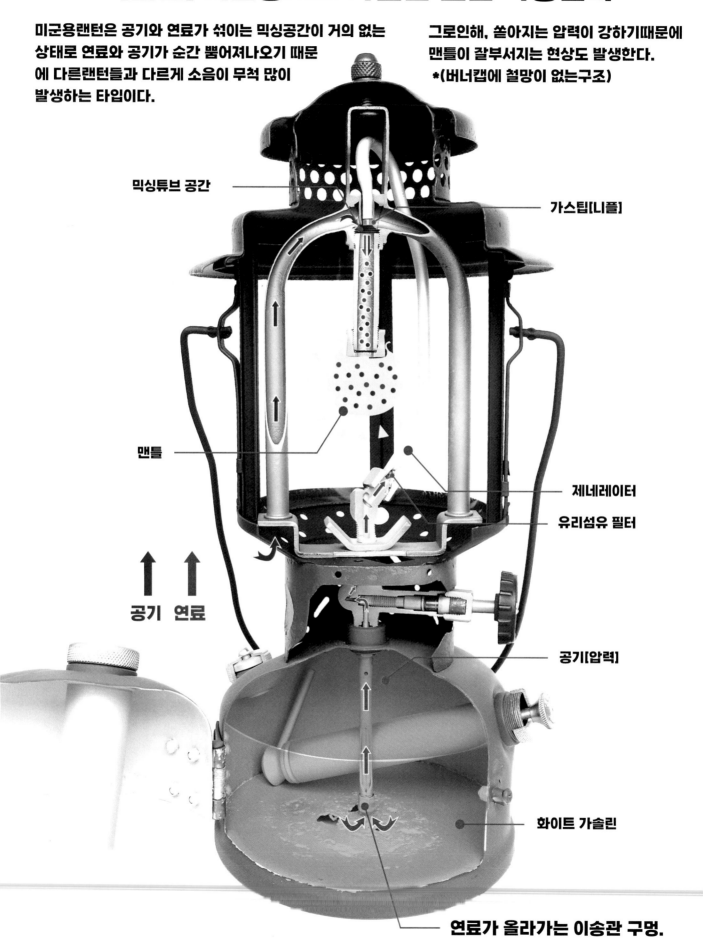

믹싱튜브 공간

가스팁[니플]

맨틀

공기 연료

제네레이터

유리섬유 필터

공기[압력]

화이트 가솔린

연료가 올라가는 이송관 구멍.

바르고 펌핑라인 ON/OFF 방법

흑연링 구조 및 연료이동 라인

펌핑바킹 및 체크밸브 청소

에어스템
(2차 단속핀)

스템 구슬
(1차 단속핀)

콜맨 랜턴의 펌핑 손잡이 사용방법은 먼저, 손잡이
를 손가락으로 잡고, 시계반대 방향으로 돌려준다.

에어스템의 2차 단속 핀이 빠져나와 압축 공기가
들어갈 수 있는 빈틈이 생긴다.

- 왼쪽방향 -

손가락으로 빠르고, 가볍게 돌리는 회전수는 대략
11 ~ 12번 정도이며, 정확한 바퀴수 는 6~7 바퀴다.

펌핑손잡이 구멍을 엄지손가락으로 막고, 펌핑을
실시 한니. 적당한 압력을 넣은후, 다음단계를 재
빠르게 실행시켜야 한다.

[OFF]

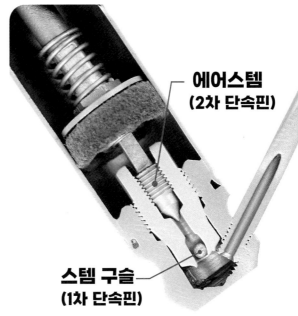

에어스템
(2차 단속핀)

스템 구슬
(1차 단속핀)

펌핑 압력을 넣고 재빠르게 시계방향인 오른쪽으로
에어스템이 꽉! 잠길때까지 돌려준다.

에어스템의 2차 단속 핀이 체크밸브 깊숙히 들어가
박힌다. 압축 된 공기가 빠져나오지 못하는 상황을
만들어 준다.

- 오른쪽 방향 -

[TIPS]

콜맨 가솔린 랜턴들 중 펌핑하는 방식이
두가지로 나눠진다.

1) 노스스타 가솔린 랜턴처럼 밸브코어(무
  시밸브)방식
 - 그냥 펌핑만 하면 압력이 차단 및 세지
   않는다.
   (ex : 노스스타 가솔린 랜턴)

2) 체크밸브 내 에어스템 & 스템구슬 방식
 - 1차, 2차 차단 방식의 절차가 있으며, 압
   력차단이 2중이다.
   (ex : 200a, 시즌랜턴, 288, 파워하우
     스 639랜턴 등등)

잠그는 바퀴 횟수는 중요치 않고, 더 이상 감겨지
지 않을 때까지 꽉! 돌려 주면 된다.

핸드휠 열린상태

콜맨 랜턴중 구형버전의 하부로드에는 미터링 로드(이송관 중앙에 위치한 핀)가 존재하기에 핸드휠을 열고 닫을 시, 하단 연료이송관 구멍을 찔러주는 역할도 한다.

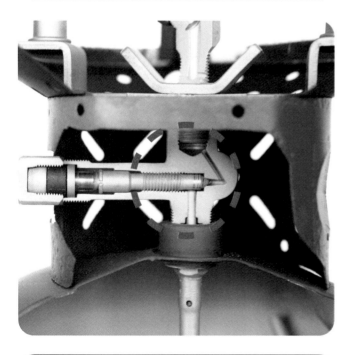

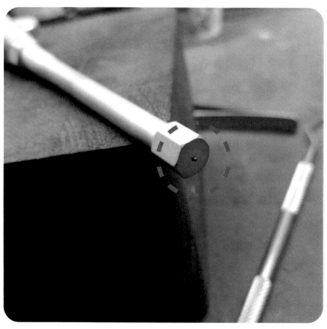

핸드휠 닫힌상태

만약, 연료통안 찌꺼기가 이송관 라인에 걸려 있다면 미터링 로드(이송관 중앙에 위치한 핀) 크리닉 역할도 하게 된다.

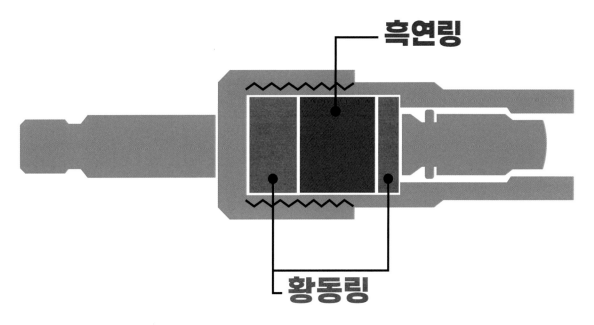

흑연링

황동링

<< 미군용 252랜턴 핸드부 흑연링위치 모습. >>

* 흑연링 뒷, 황동링 위치 모습이다.(황동링이 흑연링 앞,뒤로 2개)
* 미군용 랜턴 흑연링 두께는 황동링 사이즈와 동일한 지름으로 핸드휠홀 안쪽으로 삽입
  되어지는 형태.
* 핸드휠 너트를 조이면 황동링이 흑연링을 압착하여 기밀유지상태를 조절한다.

콜맨 252 미군용 랜턴, 하부로드 뭉치 분해 모습이다.

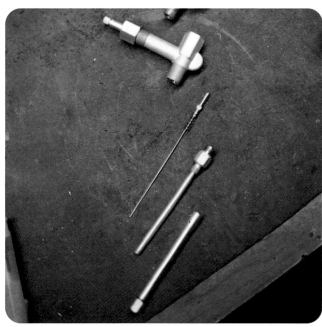

콜맨 252 미군용 랜턴, 미터링로드(이송관 중앙에 위치한 핀)와 스프링.

이번 체크밸브는 흔치않는 미군용 체크 밸브다. 콜맨 공용체크밸브 중 가장 큰 사이즈이며, 펌핑 시 묵직한 느낌마져 전달 해준다.

체크밸브 내측부 1차 압력단속 역할을 하는 스템구슬의 움직임을 흔들어보며, 반복 테스트 해본다.

체크밸브전용툴을 이용해서 빼낸다. 전용 툴을 이용하지 않고, 일자드라이버등으로 빼내려다, 랜턴을 영영 망가트린 수 있다.

스템구슬이 고착 되거나, 누압 이 발생 한다면, 새 체크밸브로 교체를 해줘야 하는데 미군용 체크밸브 부품은 구하기가 생각보다 어렵다.

보조도구인 몽키 스페너를 이용해서 돌려준다. 되도록이면 조금 큰 사이즈 스페너를 이용하는게 풀어낼 때 부하가 덜걸린다.

체크밸브와 함께 2차 단속 부품인 에어스템 봉대다. 체크밸브에 끼워 돌려서 고정 시켜 누압이 발생하는지 관찰해야하는 필수부품 이다.

관리가 잘 되어 보이는 체크밸브 상태다.

펌핑 라인 하단에 체크밸브 및 에어스템 봉대와 1차 단속 스템구슬이 끼워지는 모습을 볼 수 있다.

이번에는 펌핑바킹 교체작업과정을 볼 수 있다. 펌핑바킹의 재질은 두가지다. 내유성 고무재질과 가죽으로 만들어진 가죽바킹이다.

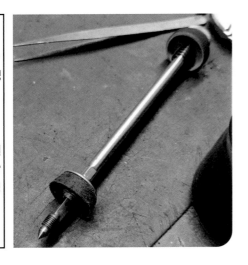

펌핑바킹 수명은 랜턴관리자의 몫이 100% 반영된다. 얼마 만큼 관리를 잘 하는지 고무 재질 과 가죽재질의 성질에 따라 구분 되어지기도 한다.

미군용 252랜턴의 펌핑바킹재질은 가죽이다. 요즘나오는 바킹재질은 내유성고무재질로 반영구적이지만 관리는 필요하다.

미군용 랜턴의 펌핑 로드대를 분해해본다. 구형 방식의 펌핑 로드대 이기에 여러가지 부품들이 상당히 많은 편이다.

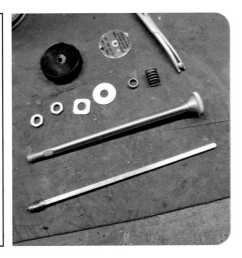

펌핑바킹의 관리는 아주, 간단 하다. 바로, 적정량의 오일이다. 펌핑 시, 원할 한 펌핑감을 살리기 위한 오일도포가 필수 이다.

펌핑바킹의 오일 종류는 여러종류의 제품이 있지만, 필자 경우 미싱오일을 사용한다.

콜맨 빈티지랜턴 핸드휠 조절 방법

콜맨 빈티지랜턴 체크밸브 작동원리

"Open 1/4 Turn to Left and Light"

1/4정도만 좌측방향으로 돌리고 불을 붙여라. 라는 글귀다.

(액체가 아닌 기체상태의 가솔린 가스만을 이용해서, 맨틀에 작은 불씨로 점화 후, 적당히 예열하는
작업 과정이다.)

(생각보다 상당한 인내심이 필요하다. 휠을 조금 열어, 조금씩 세어 나오는 가스량으로 불을 연속적
으로 붙여주는 상황을 만들어야 하는데 쉽지 않다.)

"After Mantle Burns Bright Open as Far as possible"

맨틀이 가능한 한 밝게 탈때, 핸드휠을 돌려 열어서 연소시켜라.는 글귀다.

(맨틀에 불이 붙어, 어느정도 타오르면 최대치로, 핸드휠을 열어서 불을 밝게 켜라는 말이다.)

[핸드휠은 대략 4바퀴정도 돌아간다.]

필자의 경우는 윗방법이 아닌, 약간의 변칙으로 불을
붙인다. 즉, 1/4정도만 핸드휠을 돌리지 않고, 라이
터를 켜놓은 상태로 핸드휠을 조금씩 최대치까지 돌
려 열어준다.

그후, 불이 붙어 솟아오르면, 반대방향으로 핸드휠을
잠그면서 불세기를 잡아가며, 적당히 예열이 되면 다
시, 최대치로 휠을 돌려 열어준다.

(주의: 항상 소화기 비치, 낮은텐트나 낮은천막지붕
이 아닌, 높은천장이나, 개활지에서만 실행한다.)

(이방법은 어느정도 숙달이 된 상황에서만 가능하다.
초보자에게는 권하지 않는다.)

* 아래 QR 코드를 확인해 보면,
필자가 불을 붙이는 방법의 동
영상을 볼 수 있다.

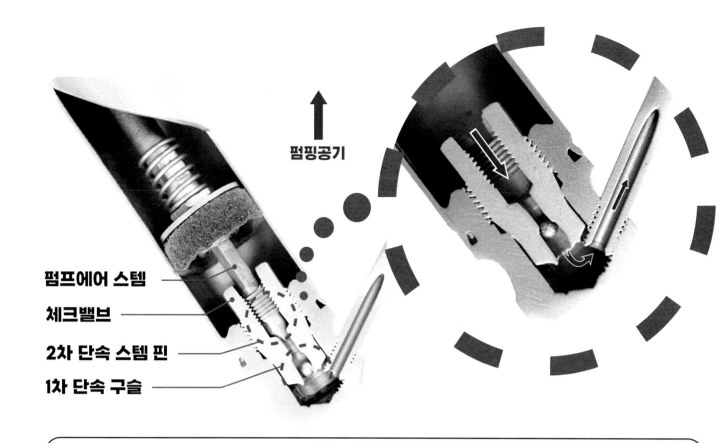

펌프에어 스템
체크밸브
2차 단속 스템 핀
1차 단속 구슬

펌핑공기

펌핑 로드대를 움직여 펌핑을 시도하면. 아래 체크밸브를 통해 압축공기가 밀려 들어가게 된다.
압축을 했던 공기가 다시, 밀려나오지 않게 하는 1차 역할을 하는 구슬과 2차로 기밀유지를 완벽히 하는 스템핀이 있다.

2차 단속 스템 핀
1차 단속 구슬

펌핑 시, 연료통 내부의 압축된 공기가 역으로 밀려나오지 않게 구슬이 공기압력으로 인해, 위로 밀려나와 공기 출구 라인을 1차 단속을 해준다.

버너캡 망 타입 정리

연료통 부식관련 자료

연료캡 구/신형버전 고무바킹

랜턴에 불을 밝혀주는 맨틀이 묶여지는 써포트 끝단에 위치한 부품이다. 버너캡 내측부에 위치한 철망이 보인다.

철망 역할은 불꽃을 안정적으로 유지 해주며, 가솔린이 넘어오면서 울리는 소음을 줄여주는 역할을 한다.

시즌 랜턴이나 요즘에 나오는 신형 랜턴들은 버너캡이 맨틀 써포트와 일체형 스타일이다.

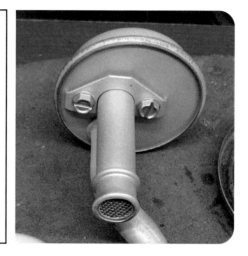

불꽃 상태와 소음문제로 새 버너 캡 부품으로 교체작업을 진행한다.

반면, 미군용 252랜턴의 경우는 조금 다르다. 맨틀 써포드 끝단에 버너캡은 있지만, 철망이 없는 구조다. 그래서, 유난히 소음이 큰편이다.

버너캡 및 맨틀 써포트가 분해 되는 랜턴 들은 거의 구형 버전 들이다.

이 랜터은 콜맨 200a 랜턴 프레임이다.

콜맨 노스스타 맨틀써포트 및 버너캡부와 철망 구조도다. 상당히 넓은구조의 버너캡과 실링으로 맨틀 어졌다.

랜턴 압력 및
연료 주입구
캡이다.

[Filler Cap]

오랜사용 및 방
치로 인해 부식
되고 삭아서 경
화된 필러캡 고
무를 제거한다.

내유성 재질의
바이톤급 고무
바킹을 준비한
다.

고무의 경화도
를 먼저 체크후
교체할지를 판
단 한다.

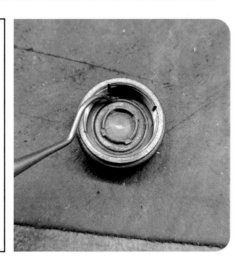

연료캡 내측부
의 빠짐방지 턱
에 잘 끼워조립
한다.

고무의 경화도에
큰 문제가 없다고
판단된다면, 비드
샌딩으로 내측부
청소 후, 그대로
재사용 한다.

이번에는 구형
방식의 압력및
연료 주입구
캡이다.

[Filler Cap]

틈새에 잘 끼워
고정 시킨후, 빠
지지 않는지 다
시한번 확인해
본다.

구형 방식 연료
캡 고무는 굵어
서 빼내기가 어
렵다. 다행히 2
중 구조로, 외부
캡이 분해가 가
능하다.

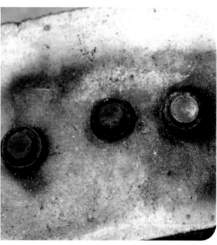

외측 하우징 캡
안에 끼워 넣고,
후면부에 볼트
로 단단히 고정
시킨다.

내측부만 분해
해서 내화 벽돌
에 올려놓고, 토
치로 달궈 기존
경화되고 고착
된 고무 잔재를
태워서 제거를
하는게 빠르다.

새 내유성 고무
바킹을 준비 하
고 내측부 부품
은 비드샌딩 으
로 깨끗히 청소
한다.

구형 방식 의
압력 및 연료
주입구의 단
면 절단된 모
습이다.

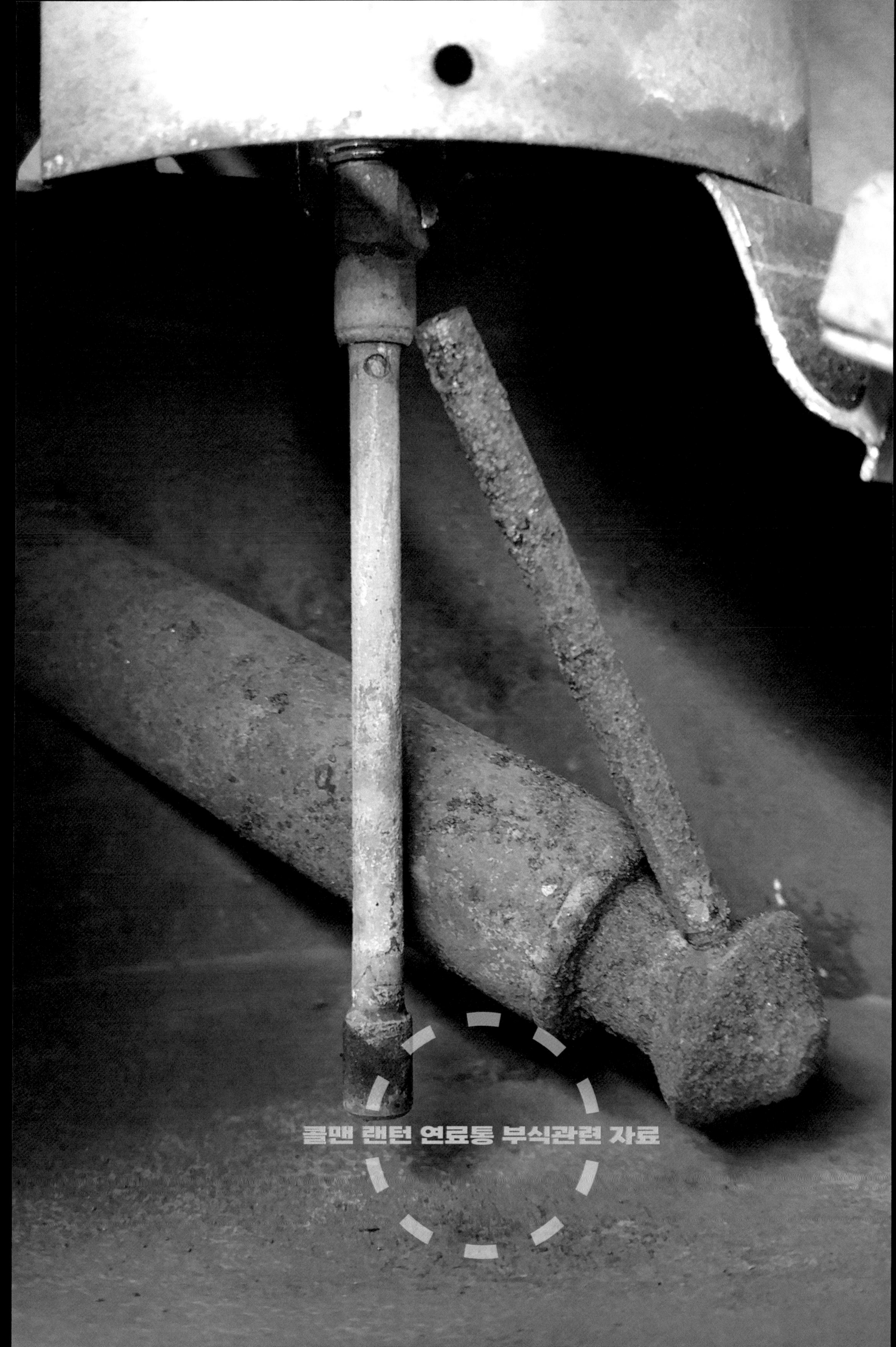
콜맨 랜턴 연료통 부식관련 자료

콜맨 랜턴의 연료
통 절개모습을 봐
본다.

연료통 내측부 부
식된 곳을 봐본다.

콜맨의 연료통 재
질은 철재 이기에
항상,연료통 내측
부 컨디션을 체크
및 녹이 생기지 않
게 유지시켜줘야
한다.

부식으로 연료통
하단 옆면에 구
멍이 보인다.

연료통 관리 부분
의 방법은 지침서
내 요약글을 보면
된다

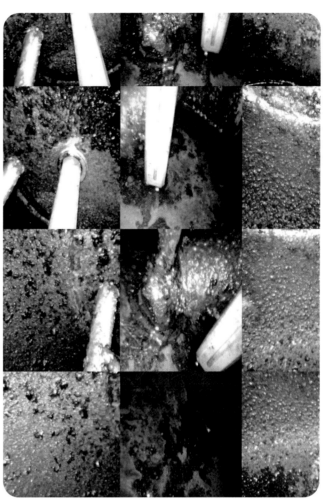

또다른 연료통의 내측부 내시경 촬영 사진을 봐본다.

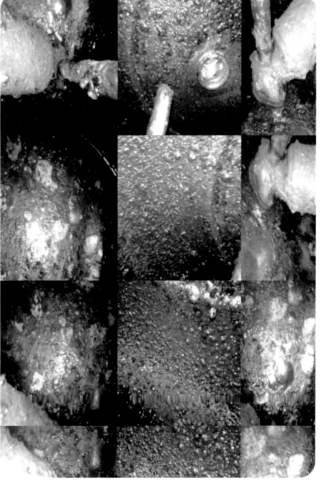

콜맨 랜턴의 연료는 화이트 가솔린 & 휘발류이다.
휘발성이 높고, 화재에 노출되는 부문이 크기에,
항상 랜턴의 컨디션을 체크해 줄 필요가 있다.

콜맨 미군용 랜턴 정비 및 수리

미군용 랜턴2대 정비 과정이다.

모든 부품들은 모래샌딩 및 비드샌딩작업을 진행 한다.

도장 작업을 진행 할 부품들을 분류 한다.

오랜시간 방치된 흔적을 볼 수 있다.

전체 분해를 시작 한다.

미군용 랜턴의 문제점은 군납품으로 제대로 관리가 되어지지 않은 랜턴들이 대부분이다.

과감히 구멍난 부분을 잘라 낸다.

1차 리무버로 기존 페인트를 벗기고, 2차 쇠솔 작업으로 벗겨 낸다.

QC :
(quality control)

품질관리가 제대 이루어 지지 않는 랜턴의 문제점 이기도 하다.

3차 모래 샌딩 작업으로 완벽히 녹때와 페인트 잔재를 벗겨 낸다.

콜맨사 군납품용 1963년 생산된 미군용 랜턴이다.

도장 작업을 위해 세밀하게 잔재들을 한번 더 확인 후, 다시 모래 샌딩으로 벗겨 낸다.

그나마 상태가 괜찮은 연료통은 페인트를 벗겨 낸다.

모래 샌딩 작업전, 4인치 그라인더로 깊은 녹자국을 벗겨낸다.

딥 올리브 색상으로 도장 및 건조 단계를 거친 모습이다.

모래 샌딩으로 마지막 정리를 하고, 도장 작업단계로 들어가 기전 모습이다.

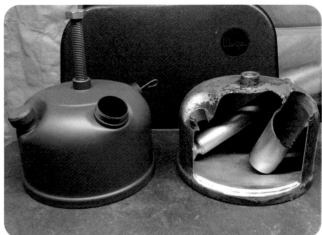

목대(칼라)도 예외없이 모래 샌딩으로 페인트를 벗겨낸다.

완벽히 벗겨낸 미군용 랜턴의 연료통 모습이다.

도장 직전 모습이다.

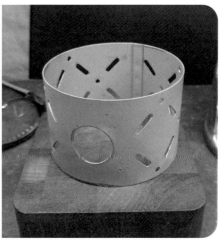

복원한 연료통
에 복각 스티커
을 붙여 본다.

나머지 부품들
도 오버홀 작업
을 위한 준비중
이다.

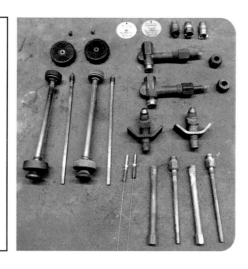

복각 스티커는
두장이 붙는다.

연료 이송관 라
인의 부품들 모
습이다.

작업장 내 상태
가 괜찮은 연료
통을 하나 더 구
해 동일하게 작
업을 진행 한다.

펌핑 손잡이 부
품들 모습이다.

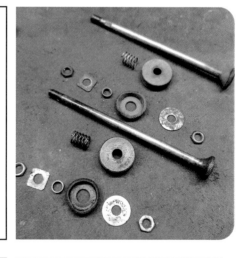

군용 랜턴의 부
품들이다.

연료 이송관 라
인 안에 들어가
는 미터링 로드
와 스프링 부품
들 모습이다.

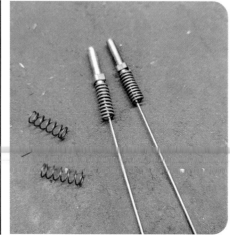

스프링은 탄성
을 잃어 버린지
오래 됫다.

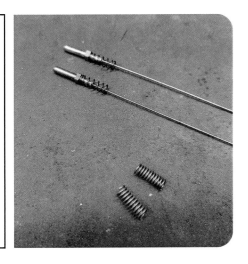

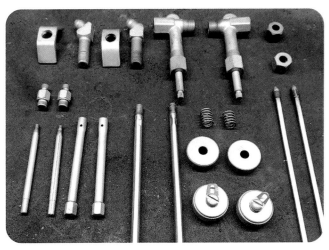

찌들어 있던
녹들을 모두
모래 샌딩과
비드 샌딩으
로 벗겨 낸다.

연료 이송관 라
인의 오버홀 된
모습이다.

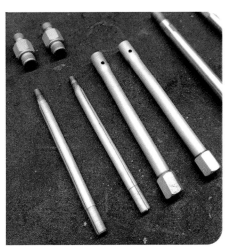

비드 샌딩으로
찌든 녹때를 벗
긴 핸드휠 고정
볼트의 모습이
다.

하부 로드 뭉치
및 펌핑 라인과
연료 필러 캡부
품이 오버홀 된
모습이다.

하부 로드 뭉치
조립 단계 모습
이다.핸드휠 부
분과 하단 미터
링 로드까지 체
셜 빚 소띱 선 보
습이다.

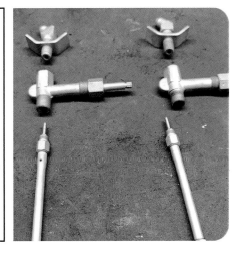

오버홀 한 부품
들을 조립 단계
로 진행 되어지
는 과정이다.

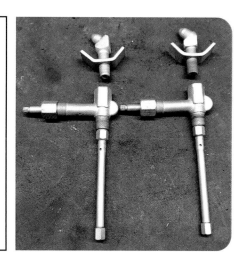

체크 밸브 역시
오버홀 및 테스
트를 끝낸 상태
다.

전용 스페셜 툴
을 이용해서 체
크 밸브를 고정
시키는 과정이
다.

도장 작업이 필
요한 부품들도
모두 완성 되어
졌다.

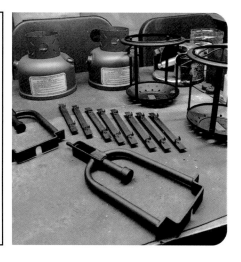

펌핑 로드대 와
에어 스템을 함
께 펌핑 라인에
넣어 조립하는
모습이다.

하부 로드 뭉치
는 연료통에 반
고정 용액을 바
른 후,체결된 모
습이다.

상단 연료 출수
부까지 조립을
끝낸 상태다.

미군용 제네레이터다.
군용 제네레이터는 특징이 하나 있다.

청소 로드침이 없는 구조이며, 제네레이터 내측부에는 유리섬유필터로 채워져 있다.

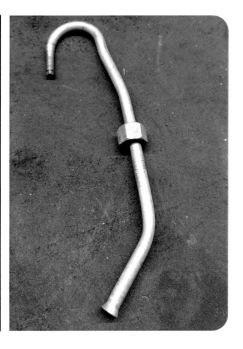

미군용 제네레이터 내부 모습이다.

청소 로드침 대신 유리섬유 필터가 찌꺼기를 걸러내 주는 역할을 한다.

상단 프레임 까지 조립 후, 제네레이터 와 예비 맨틀도 매달아 준다.

불 테스트를 위해 예비 맨틀을 태우는 작업에 들어 간다.

미군용 랜턴 불 테스트를 30여 분 이상 진행을 한다.

AFM사 미군용 랜턴 커스터마이징
정비 및 수리

1967년도 : Coleman / AutoFab

AutoFab Military Gas Lantern Us-Afm-1967 [Auto- Fab Manufacturing]

이번에는 조금 특이한 미군용 랜턴을 정비해 본다.

AFM사 에서 미군에 납품한 랜턴 이다.

이번 랜턴은 커스터마이징 의뢰로 진행되지기 때문에 전체 분해 및 페인트도 벗겨낼 예정이다.

체크밸브 부터 빼내는 작업을 시작으로 전체 분해에 들어간다.

AFM 1967년 도 생산 마킹.

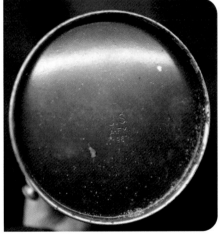

핸드휠 뒷 심대도 뽑아 낸다. 내측부 흑연 패킹 역시, 교체될 예정이다.

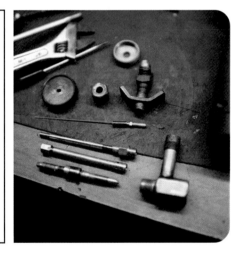

보관상태는 엉망이지만, AFM사에서 만들어진 미군용 랜턴은 상단히 만듬세가 견고하고 트 내식성에 강하다는 평가를 내린다.

하부로드 뭉치 및 핸드휠 뒷편 편심대도 모두 분해된 모습이다.

다른 군용 납품 랜턴과 특징이 있다면, 만듬세가 굉장히 튼튼하며, 상당히 신경을 많이 써서 제작한 흔적들이 보인다.

페인트 잔재를 모두 벗겨낸다.

핸드휠 흑연 심대 라인과 연료 이송관, 미터링 로드대 모습이다.

도장을 위한 부품들은 모두 모래샌딩 작업을 거친다.

커스터 마이징으로 연료통 도장 작업전 페인트 자국부터 벗겨 낸다.

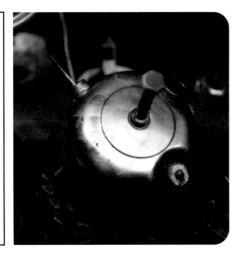

상단 프레임과 중앙 에어흡입관 프레임 등, 모두 모래샌딩 작업을 진행한다.

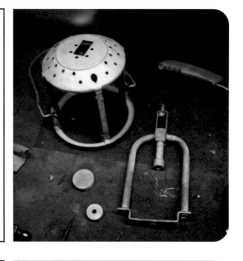

U.S.
AFM
1967

다른 미군용 납품 랜턴과 특징을 보이는 하부 로드 상단 뭉치의 묵직한 사이즈를 확인 할수 있다.

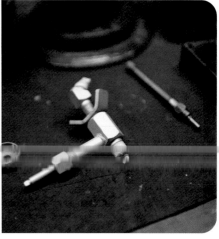

각 부품 파트별 오버홀 작업 과정을 보여 준다.

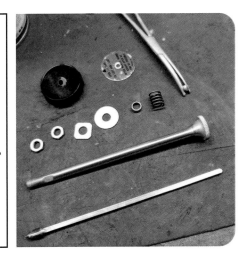

군용 특유의 대형급 체크밸브 모습이다.

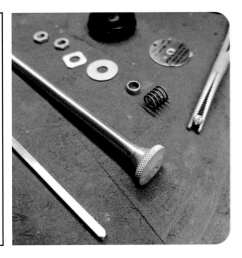

체크밸브 오버홀 후, 전용 스페셜 툴로 체결 전 모습이다.

펌핑라인 파트별 부품 모습이다.

핸드휠 과 가죽 바킹 체결 순서의 부품들 나열 모습이다.

펌핑라인 파트 오버홀 후, 조립 완성된 모습이다.

가죽바킹 상태
체크 후, 에어
스템 끝단 원뿔
상태도 체크 한
다.

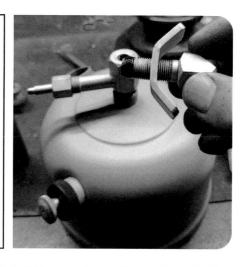

하부로드 뭉치
외 상단부 연료
라인이 하나 더
있는게 미군용
랜턴의 특징이
다.

반고정 용액을
바른 후,정방향
을 잡고 단단히
고정 시켜 준다.

오일통에 가죽
바킹을 적셔 준
다.

칼라 (목대)도
깨끗히 벗겨낸
후, 도장 작업
으로 넘어간다.

정비 및 오버홀
작업이 완료 된
순서대로 조립
에 들어간다.

미군용 랜턴의 연료통 상단부와 하부 로드뭉치 및 핸드휠 조작부 라인 모습이다.

목대 위, 상단 프레임을 조립 후, 예비 맨틀을 달아 준다.

일반적으로 하부로드 뭉치 상단에 제네레이터가 체결 되는데, 군용랜턴은 상단 부품이 한 단계 더 올라간다.

불 테스트를 위한 맨틀 태우기 작업에 들어간다.

목대조립을 시작으로 전체조립에 들어 간다.

30여분 이상 불 테스트를 진행한다.

작업한 샌딩 글로브를 끼우고, 다시금 불 테스트에 들어 간다.

불 테스트를 무사히 끝낸 후, 한가지 더 작업이 남아 있다.

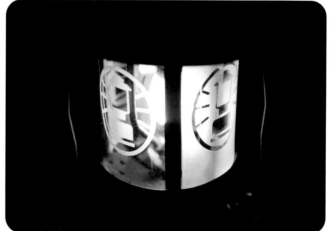

글로브 샌딩 까지 진행 되어지는 사항이다.

샌딩은 음 / 양 각 반반씩 작업 예정이다.

미군용 랜턴의 글로브는 4개의 쪽유리로 나눠져있기에 불투명 / 투명 두 장씩 샌딩작업을 진행한 결과물이다.

상단 범랑 후드 상태도 아주 깨끗한 편이다.

의뢰해 주신 분의 장인 어르신께서 낚시용 으로 사용 하셨던 랜턴 이다.

이제 의뢰자 본인께서 캠핑에 사용할 목적으로 커스터 마이징 작업을 의뢰해 주신거다.

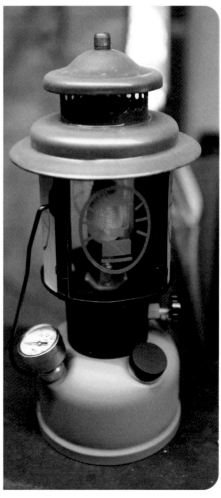

미군용 랜턴 단면도 제작

미군용 랜턴의
구멍난 연료통
옆모습이다.

상단부 에어흡
입 라인의 절단
된 모습이다.

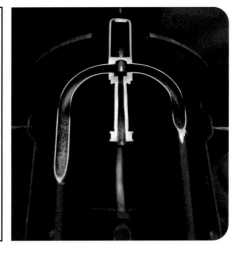

구멍난 부위 주
변으로 절단을
한 연료통 모습
이다.

전체 가조립 후
도장전 라인 작
업을 한번 더 확
인 한다.

연료통 절개 및
전체 부품들의
절단작업도 함
께 진행 한다.

절개한 부품들
을 가조립 해본
다.

연료통 뒷면.
1965년 콜맨사
군납품용 랜턴.

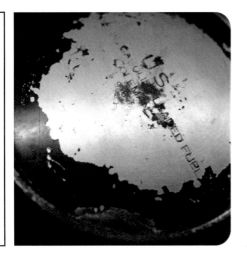

도장 전, 전체
조립과 절개면
라인이 맞는지
다시 한번 확
인 작업.

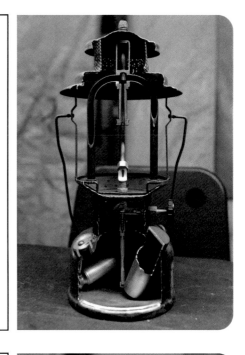

각 부품들의 절
개면과 전체라
인이 맞는지 가
조립한 상태다.

모든 부품을 다
시 분해 후, 샌
딩 및 도장작업
을 완료 한 후,
전체조립과 스
티커 작업까지
완료한 모습.

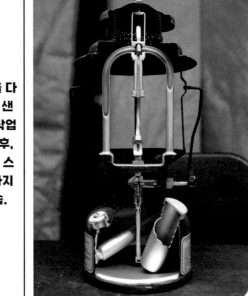

연료가 올라가
는 라인과 단속
밸브의 움직임
을 체크해본다.

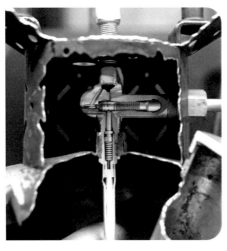

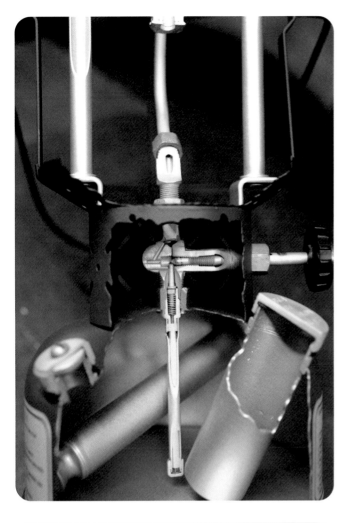

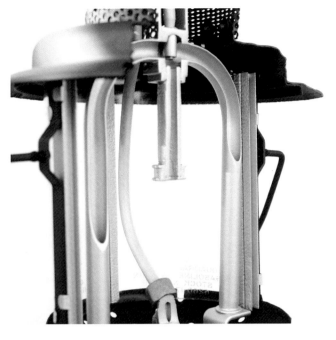
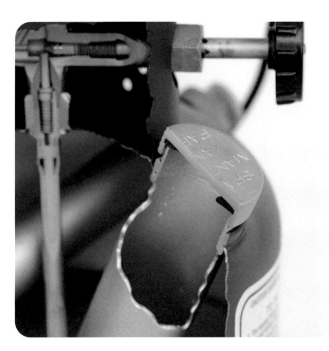

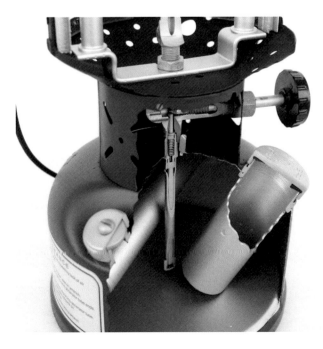

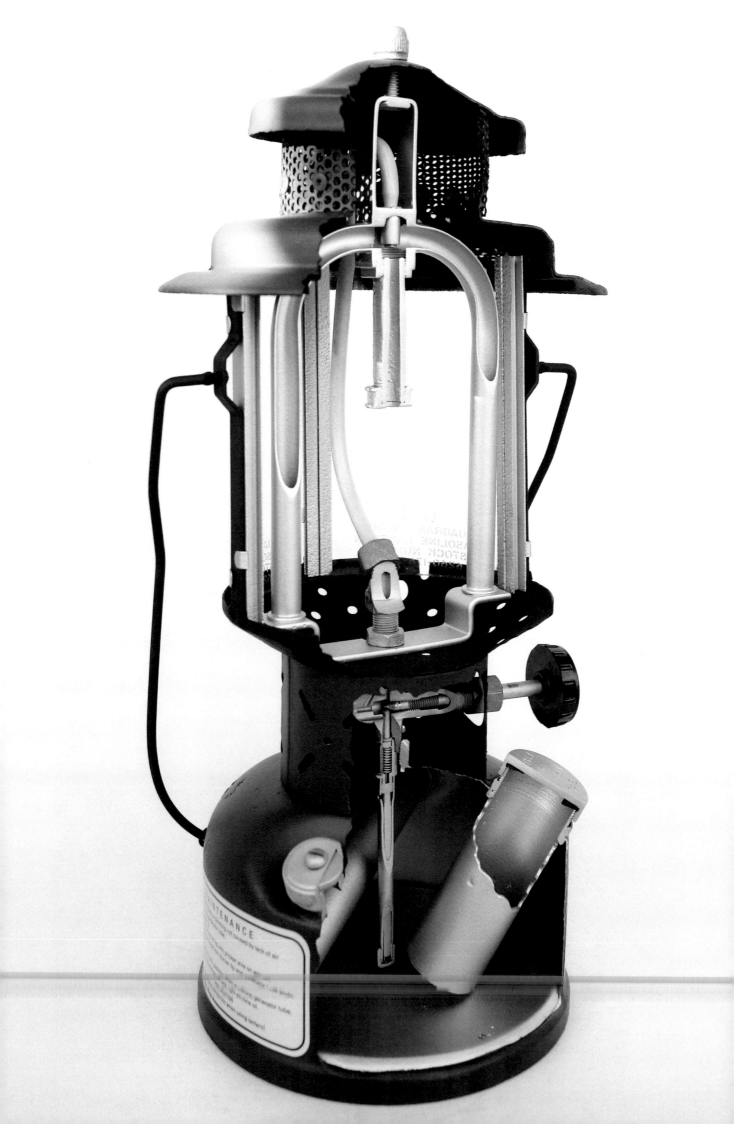

콜맨 미군용 252가솔린 랜턴 5대 싸운드

폐급 랜턴 디오라마 작품 1

이소 가스용 랜턴이었지만, 고장으로 폐기 판정.

콜맨 미니어쳐 소품으로 새로운 랜턴을 만들어 봤다.

새로 탄생한 랜턴의 불빛을 보고 싶으면, QR 코드를 스캔하면 볼 수 있다.

폐급 랜턴 디오라마 작품 2

중국산 폐급랜턴, 고장으로 폐기 판정.

낡은 짚차의 옛 모습, 겔로퍼

예전 캠핑용 짚차의 모습을 미니어쳐로 제작해서, 디오라마 랜턴을 만들어 봤다.